GUY DELISLE

# SHENZHEN

L'Association

collection
ciboulette

*Une partie des pages de cet ouvrage est parue dans la revue* LAPIN *en 1998 et 1999.*

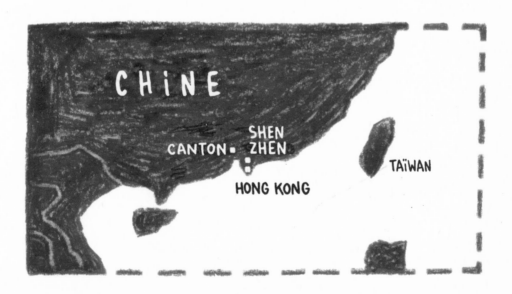

CHINE

CANTON ■ SHEN ZHEN

HONG KONG

TAïWAN

SHENZHEN
DÉCEMBRE
1997...

ME REVOILÀ EN CHINE. CETTE FOIS-CI DANS LE SUD.

LA PREMIÈRE FOIS J'ÉTAIS À NANKIN AU NORD.

JE RETROUVE CE QUE J'AVAIS OUBLIÉ : LES ODEURS, LE BRUIT, LA FOULE, LA SALETÉ, LA GRISAILLE PARTOUT.

JE ME RENDS COMPTE QUE MA MÉMOIRE N'AVAIT RETENU QUE LES BEAUX CÔTÉS... L'EXOTISME...

CAR AVEC LE TEMPS QUI SE CHARGE D'EFFACER LES MAUVAIS MOMENTS, LA MÉMOIRE GARDE À JAMAIS SON CÔTÉ NAÏF ET STUPIDEMENT POSITIF.

PENDANT TROIS MOIS JE VAIS VIVRE À L'HÔTEL, DANS UNE CHAMBRE IDENTIQUE À CELLE QUE J'AVAIS AVANT.

HOW DO YOU DO ?

D'AILLEURS EN CHINE Y'A QU'UN MODÈLE DE CHAMBRE...

Zong Shan Hôtel, Nankin.

Great Wall Hôtel, ShenZhen.

Holliday Inn Canton.

Oriental Regent Shanghaï.

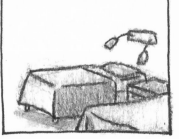

Victoria Hôtel Canton.

DE L'EAU CHAUDE POUR LE THÉ OU POUR SE FAIRE UNE SOUPE.

MAIS LE BEC VERSEUR EST MAL CONÇU, IMPOSSIBLE DE PAS EN METTRE PARTOUT.

ET TOUJOURS ENTRE LES DEUX LITS UNE SÉRIE DE BOUTONS POUR CONTRÔLER SON PETIT MONDE.

LE PREMIER MATIN, JE DOIS ME RENDRE AU STUDIO POUR RENCONTRER LE DIRECTEUR QUE JE VAIS REMPLACER.

AÏE, MERDE! J'AI UNE DENT DU FOND QUI ME FAIT MAL... J'ESPÈRE QUE J'AURAI PAS À ALLER CHEZ LE DENTISTE.

AU BAR DE L'HÔTEL JE PRENDS UN CAFÉ. VINGT-DEUX FRANCS...

JE DEMANDE UN DOUBLE POUR ME REMETTRE DU DÉCALAGE HORAIRE.

LES ÉTRANGERS SONT ASSEZ RARES DANS LE COIN.

LE DIRECTEUR, APRÈS 8 MOIS EST UN PEU À CRAN. IL EST BIEN CONTENT DE SE BARRER.

DEPUIS LE DÉBUT TABARNAK QUE JE LEUR DIS DE PAS FAIRE BOUGER LA PUPILLE QUAND Y FONT DES "BLINK". LES OSTIES D'CRISS!...

ET PIS L'ANIM EST DE PIRE EN PIRE. CEUX QUI ÉTAIENT BONS SONT PARTIS À CANTON DANS UN AUTRE STUDIO.

Y VONT ME REFAIRE TOUT ÇA!

C'EST D'LA CRISS DE MARDE CE STUDIO!

EN PLUS LE BOSS Y'EN A RIEN À FOUTRE

Y FAUT FAIRE REPRENDRE LES PLANS AU MOINS 2,3 FOIS

LA TRADUCTRICE EST DÉPRIMANTE AU BOUT', A COMPREND RIEN À L'ANIM...

ET LES NOUVEAUX LAYOUTS DU CANADA SONT NULS À CHIER

R'GARD ÇA, CRISS! C'EST NUL!

JE ME RENDS COMPTE QUE MON SÉJOUR SERA PLUTÔT DU GENRE SOLITAIRE.

POUR UNE VILLE MODERNE EN BANLIEUE DE HONG-KONG IL N'Y A PRESQUE PAS DE CHINOIS BILINGUES...

PAS D'UNIVERSITÉ OU DE CAFÉ OÙ JE POURRAIS RENCONTRER DES JEUNES OUVERTS SUR L'OCCIDENT.

ICI, ON VIENT POUR LES AFFAIRES, ON PASSE NÉGOCIER POUR UNE JOURNÉE OU DEUX, ENSUITE ON RENTRE À HONG-KONG.

HEUREUSEMENT QUE J'AI APPORTÉ UNE PILE DE LIVRES.

D'ici là,
essaie de prendre le dessus,
étouffe ta sensibilité
et observe les autres,
ceux même qui vivent le plus
près de toi; tu t'amuseras;
je te garantis des surprises
consolantes.

*Monsieur Lepic*
*à Poil de Carotte.*

Mmm
...

UN MIDI, J'INVITE MA TRADUCTRICE À MANGER POUR SYMPATHISER.

C'EST QUOI COMME VIANDE? AH! NON ÇA VA, J'AI COMPRIS.

À LA FIN DU REPAS ELLE SE CACHE LA BOUCHE AVEC LA MAIN QUAND ELLE UTILISE SON CURE-DENT.

ELLE M'A PAS POSÉ UNE SEULE QUESTION DU REPAS.
MOI J'ÉTAIS PLUTÔT CURIEUX ET J'ESSAYAIS DE METTRE
UN PEU D'AMBIANCE.

LES PREMIÈRES NUITS, J'ARRIVE PAS À DORMIR.

EN FACE Y'EN A QUI TRIMENT TOUTE LA NUIT ACCROUPIS À FROTTER DES TRUCS.

DES SEMAINES PLUS TARD J'AI COMPRIS QUE C'ÉTAIT LA BUANDERIE DE L'HÔTEL...

APPAREMMENT LES MACHINES AU FOND C'EST POUR LA DÉCO.

POUR ME FAIRE LAVER UN SLIP, ÇA ME COÛTE LE MÊME PRIX QU'UN REPAS DANS LA RUE.

AU RESTO DE L'HÔTEL C'EST PLUS CHER BIEN SÛR MAIS Y'A DU SERVICE (UN PEU TROP À MON GOÛT). DE MANIÈRE GÉNÉRALE, PLUS Y'A DE SERVEUSES PLUS L'ÉTABLISSEMENT EST CLASSE.

C'EST UN PEU COMME LES ÉTOILES DU MICHELIN.

APRÈS CHAQUE GORGÉE, MA TASSE EST IMMÉDIATEMENT REMPLIE. AU DÉBUT C'EST ASSEZ OBNUBILANT, APRÈS ON S'HABITUE EN FAISANT ABSTRACTION DE LEURS PRÉSENCES.
ÇA DOIT COMMENCER COMME ÇA L'EMBOURGEOISEMENT.

Mmm... PAS MAUVAIS CE THÉ... DU HOOLONG SI JE NE M'ABUSE...

HOW DO YOU DO?

SAUF CELUI QUI OUVRE LA PORTE DES CHIOTTES. LUI, J'AI JAMAIS PU M'Y FAIRE.

EN ME RENDANT AU CENTRE-VILLE POUR CHERCHER DES SOUS, J'OBSERVE UN CURIEUX IMMEUBLE : IL FAIT UNE QUINZAINE D'ÉTAGES, SANS AUCUNE FENÊTRE. UN GROS BLOC DE BÉTON GRIS. TRÈS BIZARRE.

PLUSIEURS FOIS LORS DE MON SÉJOUR, J'AI CHERCHÉ À REVOIR CE CURIEUX CUBE, NOTAMMENT POUR LE PHOTOGRAPHIER, MAIS SANS SUCCÈS... J'AI JAMAIS PU REMETTRE L'ŒIL DESSUS. ÉVAPORÉ.

DANS LES RUES DU CENTRE-VILLE, Y'A DES INFIRMES QUI FONT LA MANCHE EN SE TAPANT LE FRONT SUR LE SOL.

MAIS EN FAIT Y FONT SEMBLANT, ILS SE TAPENT PAS LE FRONT POUR DE VRAI. ILS ARRÊTENT JUSTE AVANT. MAIS COMME ILS ONT LES CHEVEUX LONGS ON VOIT PAS.

PARCE QUE S'ILS SE COGNAÏENT VRAIMENT, ON ENTENDRAIT QUELQUE CHOSE ... MAIS LÀ, RIEN.

JUSTE EN FACE D'UN MAGASIN CHEVIGNON.

L'ACTIVITÉ MAJEURE À SHENZHEN C'EST DE FAIRE LES BOUTIQUES. DE TOUTES FAÇONS Y'A RIEN D'AUTRE QUE ÇA À FAIRE.

CURIEUSEMENT, ON RE-TROUVE QUE DES PRODUITS DE GRANDE MARQUE ; ET C'EST PAS MOINS CHER QU'AILLEURS ...

ÇA M'A PRIS TROIS JOURS POUR TROUVER UN MAGASIN QUI VEND DES COUTEAUX DE CUISINE POUR POUVOIR COUPER MES POMMES À L'HÔTEL.

POUR ACHETER DES ROLEX Y'A PAS DE PROBLÈME ...

MAIS POUR LES TRUCS SIMPLES C'EST MOINS ÉVIDENT.

À LA BANQUE

LE CONCEPT DE FILE EST ASSEZ FLOU EN CHINE. LE MOINDRE ESPACE LAISSÉ LIBRE RISQUE D'ÊTRE OCCUPÉ PAR UN AUTRE.

JE DIS BIEN LE MOINDRE ESPACE.

LE BANQUIER PINCE ENSEMBLE MON PASSEPORT, L'ARGENT ET UN REÇU... PUIS HOP!

PLAC

UN PETIT COUP DE TAMPON...

ET VOILÀ... ON ME DONNE MES SOUS.

POUR LA PETITE MONNAIE, LE BANQUIER UTILISE UNE BOÎTE DE RICOLA.

À CÔTÉ, UNE JEUNE FILLE SORT DE SON SAC DES LIASSES DE BILLETS !

MOI QUI AVAIS PEUR DE ME BALADER AVEC UN PORTE-FEUILLE UN PEU PLEIN...

CHINA BANK

POUR L'OUVERTURE D'UN KENTUCKY FRIED CHICKEN, DES JEUNES EMPLOYÉES AVEC LEURS UNIFORMES, EXÉCUTENT UNE PETITE CHORÉGRAPHIE PROMOTIONNELLE, INSPIRATION MANŒUVRES MILITAIRES.

AUTRE MÉTHODE POUR ATTIRER LE CLIENT: LE MÉGAPHONE.

LE SOIR JE MANGE AVEC LE DIRECTEUR-ANIM DU STUDIO ET SON FRÈRE. POUR ME FAIRE PLAISIR, ILS M'INVITENT AU HARD-ROCK CAFÉ OÙ L'ON TROUVE DE LA WESTERN FOOD.

COMME ILS PARLENT AUSSI BIEN L'ANGLAIS QUE MOI LE CHINOIS, NOUS NOUS AIDONS AVEC LE CRAYON.

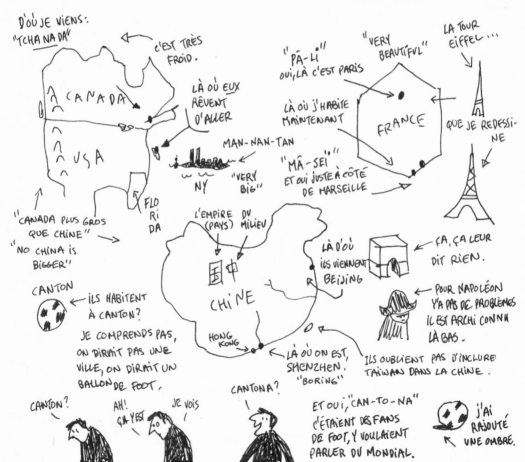

D'OÙ JE VIENS: "TCHA NA DA"

C'EST TRÈS FROID.

CANADA

USA

LÀ OÙ EUX RÊVENT D'ALLER

MAN-NAN-TAN

NY

"VERY BIG"

"CANADA PLUS GROS QUE CHINE" →

"NO CHINA IS BIGGER"

FLO RI DA

"PÂ-LÎ" OUI, LÀ C'EST PARIS

"VERY BEAUTIFUL"

LA TOUR EIFFEL ...

LÀ OÙ J'HABITE MAINTENANT

FRANCE

QUE JE REDESSI-NE

"MÂ-SEÎ" ET OUI JUSTE À CÔTÉ DE MARSEILLE

L'EMPIRE DU (PAYS) MILIEU

国中 CHINE

LÀ D'OÙ ILS VIENNENT BEIJING

ÇA, ÇA LEUR DIT RIEN.

POUR NAPOLÉON Y'A PAS DE PROBLÈMES IL EST ARCHI CONNU LÀ BAS.

CANTON

ILS HABITENT À CANTON?

JE COMPRENDS PAS, ON DIRAIT PAS UNE VILLE, ON DIRAIT UN BALLON DE FOOT.

HONG KONG

LÀ OÙ ON EST, SHENZHEN, "BORING"

ILS OUBLIENT PAS D'INCLURE TAÏWAN DANS LA CHINE.

CANTON?

AH! ÇA Y'EST

JE VOIS

CANTONA?

ET OUI, "CAN-TO-NA" C'ÉTAIENT DES FANS DE FOOT, Y VOULAIENT PARLER DU MONDIAL.

J'AI RAJOUTÉ UNE OMBRE.

JE SOIGNE MON MAL DE DENTS GRÂCE AU FIL DENTAIRE QUE L'ANCIEN DIRECTEUR M'A LAISSÉ AVANT DE PARTIR. PRATIQUE ESSENTIELLEMENT NORD-AMÉRICAINE QUI M'ÉVITERA DE RENOUVELER L'EXPÉRIENCE ÉPROUVANTE DE LA VISITE CHEZ LE DENTISTE DE MON PREMIER SÉJOUR.

Y'A PAS DE RAISON DE PAS FAIRE CONFIANCE À UN DENTISTE CHINOIS.

QUE JE ME DISAIS...

J'AVAIS EU LA BONNE IDÉE DE ME FAIRE ENLEVER LES DENTS DE SAGESSE, CAR ELLES POUSSAIENT CELLES DE DEVANT À SE CHEVAUCHER DE FAÇON INESTHÉTIQUE.

DONC LE PLUS TÔT SERAIT LE MIEUX, ET PLEIN DE CONFIANCE JE SUIVAIS MA TRADUCTRICE VERS LA CLINIQUE DENTAIRE.

C'ÉTAIT NOIR DE MONDE...

ELLE DISPARAÎT UN MOMENT DANS LA FOULE ET RESSORT AVEC UNE CONVOCATION AU PREMIER.

DEVANT LA PORTE, UN AUTRE ATTROUPEMENT. EN FAIT, LES CURIEUX REGARDENT CEUX QUI SE FONT TRAITER DERRIÈRE.

MA TRADUCTRICE ME POUSSE, ET JE ME RETROUVE DEVANT UNE DES SCÈNES LES PLUS GLAUQUES QUE J'AI VUES DE MA VIE !

AMBIANCE HALL DE GARE...

L'ÉCLAIRAGE AU NÉON...

DES TYPES QUI SE BALADENT...

DES COTONS PLEINS DE SANG DANS LA POUBELLE...

LES BLOUSES ET LES PLANCHERS CRADES...

UN PETIT VIEUX QUI GÉMIT DE DOULEUR...

JE DEVAIS ÊTRE BLANC COMME UN DRAP QUAND JE ME SUIS RETOURNÉ VERS MA TRADUCTRICE POUR LUI DIRE :

ON POURRAIT PEUT-ÊTRE REVENIR, JE LE SENS PAS TRÈS BIEN LÀ ?
...

AU STUDIO, J'ÉTAIS LA RISÉE DES ANIMATEURS...

AH, AH... AFRAID OF DENTIST ?

JE SUIS TRAUMATISÉ À VIE...

J'Y SUIS QUAND MÊME RETOURNÉ, MAIS LE SOIR, QUAND Y'AVAIT MOINS DE MONDE ET AVEC UN COPAIN QUI PARLAIT PARFAITEMENT LE CHINOIS.

ATTENTION, HEIN! TU LUI DIT QUE JE VEUX JUSTE UN EXAMEN...

PAS DE FRAISE, PAS DE SERINGUE.

QUOI? QU'EST-CE QU'IL DIT?

IL EST RAVI, C'EST LA PREMIÈRE FOIS QU'IL A L'OCCASION D'OBSERVER UN ÉTRANGER... HABITUELLEMENT Y VONT À L'HÔPITAL AMÉRICAIN...

QUOI, Y'A UN HÔPITAL AMÉRICAIN?

SINON POUR TES DENTS ÇA VA T'AS PAS DE DENTS DE SAGESSE... Y'A RIEN À ARRACHER.

C'EST TOUT CE QUE JE VOULAIS ENTENDRE...

MERCI DOCTEUR!

XIÈ XIÈ NǏ

J'AI QUAND MÊME APPRIS À DIRE "DENT DE SAGESSE" EN CHINOIS ET LA SIGNIFICATION DE LA "MÉSIALISATION": MOUVEMENT NATUREL DES DENTS VERS L'AVANT.

EN SORTANT, J'AI PAYÉ MA CONSULTATION.

C'EST UN FRANC CINQUANTE.

COMME LE BUS!

MAIS APRÈS J'AI VU PIRE DANS UN MARCHÉ: UN DENTISTE AVEC UNE FRAISE À PÉDALE.

ENFIN, LÀ J'AI ÉTÉ TRANQUILLE AVEC MON FIL DENTAIRE, J'EN AVAIS PAS BEAUCOUP ALORS J'ÉCONOMISAIS...

À LA FIN, JE GARDAIS LES DERNIERS BOUTS QUI RESTAIENT DANS MES POCHES POUR PAS QUE LES FEMMES DE CHAMBRE ME LES JETTENT.

LE PREMIER ÉTAGE DU BÂTIMENT OÙ JE TRAVAILLE EST OCCUPÉ PAR UN BOWLING. C'EST TRÈS POPULAIRE DANS LE PAYS.

AU BOULOT, JE DONNE DES INDICATIONS AUX ANIMATEURS POUR REPRENDRE CERTAINS PLANS...

ENSUITE JE M'ASSURE QUE TOUT EST CLAIR...

LA MOITIÉ DES ANIMATEURS DORMENT. J'ARRIVE PAS À COMPRENDRE POURQUOI PARCE QUE NORMALEMENT ON EST À LA BOURRE ET QUE ÇA DEVRAIT TOURNER À FOND...

EN ATTENDANT JE ME METS À LIRE DES "SPIROU" QUE MON EMPLOYEUR (DUPUIS-ANIMATION) ENVOYAIT RÉGULIÈREMENT À L'ANCIEN DIRECTEUR.

C'ÉTAIT CURIEUX DE RETROUVER ÇA EN CHINE, DES ANNÉES PLUS TARD.

PASSE ! PASSE!

LES MÊMES DESSINS LES MÊMES BLAGUES ...

ÇA FAIT RIRE QUI ÇA ?

J'AVAIS L'IMPRESSION DE RETROUVER UNE VIEILLE CONNAISSANCE QUI AURAIT GARDÉ MALGRÉ SON ÂGE, LES MOTIVATIONS DE NOTRE ENFANCE.

ON PEUT ALLER BRÛLER DU PAPIER JOURNAL. J'AI DES ALLUMETTES.

OU SINON J'AI DES PÉTARDS, ON PEUT FAIRE ÉCLATER DES MERDES.

OU GRILLER DES FOURMIS AVEC MA LOUPE.

OU CRAMER NOS MODÈLES D'AVIONS EN PLASTIQUE.

APRÈS ON LES CASSE À COUPS DE TALON

BOF.

ZZZ

MONTRÉAL EN 88.

HEY ASH, JE VAIS ME FAIRE UN SOMME, JE SUIS MORT DE FATIGUE.

SURE MAN... TAKE A NAP... YOU'LL FEEL MUCH BETTER AFTER.

UN MIDI, J'AI FONCÉ DANS LE PREMIER BOUI-BOUI VENU, ET COMME J'AI À PEU PRÈS RÉUSSI À ME FAIRE COMPRENDRE, JE L'AI ADOPTÉ POUR UNE BONNE PARTIE DE MON SÉJOUR.

POUR OBTENIR UN PLAT QUI ME CONVENAIT, J'AI DÛ PROCEDER PAR ÉTAPES...

J'AI D'ABORD ESSAYÉ CE QUE MANGEAIT MON VOISIN... TROP ÉPICÉ... CRISE DE HOQUET.

J'OFFRAIS AINSI UN SPECTA-CLE RARISSIME POUR LE RESTE DU RESTAURANT.

MON DEUXIÈME ESSAI ÉTAIT ASSEZ BON POUR QUE JE DEMANDE DE M'ÉCRIRE LE NOM DU PLAT.

MIAM

TROIS FOIS PAR SEMAINE, MUNI DE MON BOUT DE PAPIER, J'AI TOUJOURS MANGÉ LE MÊME PLAT. SANS AVOIR UN MOT À PRONONCER.

BONJOUR !

DU THÉ ?

VOLONTIERS

QU'EST-CE QUE JE VOUS SERS ?

COMME D'HAB.

LE PLAT AVEC L'OEUF ?

TOUT JUSTE

BON APPÉTIT

BAGUETTES SVP!

JE VOUS DOIS COMBIEN?

COMME D'HAB.

TCHAO! ET MERCI.

PARFOIS JE CROISAIS LE CUISTOT DU RESTO DANS LA RUE ET POUR ME SALUER, IL ME FAISAIT LE SIGNE DU "PLAT AVEC L'OEUF" EN SOURIANT.

EN RENTRANT, JE TROUVE UN LIVRE SUPERBE REMPLI DE DESSINS D'ENFANTS...

图46 爸爸的像 赵鑫 女6岁

WHAT DO YOU DO?

COMME PRÉVU AVANT MON DÉPART, JE PRENDS DES NOTES SUR MON SÉJOUR. L'IDÉE INITIALE DE RACONTER ÇA À MON RETOUR SOUS LA FORME DE BD DEVIENT DE PLUS EN PLUS FLOUE

JE CONTINUE SANS TROP Y CROIRE. TOURNER EN ROND DANS UNE CHAMBRE D'HÔTEL, MÊME EN CHINE, ME SEMBLE UN PEU MINCE COMME PÉRIPÉTIE POUR INTÉRESSER UN LECTEUR.

MAIS COMME LES ACTIVITÉS SE COMPTENT SUR LES DOIGTS D'UNE MAIN, JE REMPLIS UNE PAGE PAR SOIR.

J'ESSAYAIS DE PAS TOMBER DANS L'APITOIEMENT MÊME LORSQUE J'AI LU LE VOYAGE DE JOCHEN QUI DÉCOUVRAIT LES ATTRAITS DE NEW-YORK

DANS LA VITRINE DU "MAD COW", UNE VACHE AUX YEUX CLIGNOTANTS SECOUE MÉCANIQUEMENT LA TÊTE EN LAISSANT COULER UNE BAVE GLUANTE...

NOUS Y DÉGUSTIONS DES CUISSES DE POULET ÉPICÉES EN ÉCOUTANT LES SCRATCHES D'UN DISK-JOCKEY DEVANT DES VIDÉOS DE KUNG-FU.

AU "MAX FISH" LA DÉCORATION MURALE ET LES VIDÉOS CHANGENT AU RYTHME DES EXPOSITIONS...

MISÈRE...

DANS "MA VIE DE CHIEN" LE JEUNE INGEMAR ALLÉGEAIT SON MALHEUR EN SONGEANT AU SORT DE LAÏKA, LA CHIENNE ENVOYÉE EN ALLER-SIMPLE DANS L'ESPACE. CONDAMNÉE À ERRER DANS LE COSMOS.

MOI JE PENSAIS À CEUX QUI SE FONT KIDNAPPER ET QUI PERDENT SANS RAISONS LEUR LIBERTÉ, SANS SAVOIR DANS COMBIEN DE JOURS ILS LA RETROUVERONT.

AVANT DE PARTIR, J'AVAIS LU LE TÉMOIGNAGE DE CHRISTOPHE ANDRÉ, KIDNAPPÉ PENDANT III JOURS EN TCHÉTCHÉNIE ET QUI AVAIT RÉUSSI À S'ENFUIR ET À REJOINDRE L'AMBASSADE. IL PARLAIT DE LA SATISFACTION D'AVOIR PU REPRENDRE LUI MÊME SA LIBERTÉ, AU LIEU D'ÊTRE ÉCHANGÉ COMME UNE MARCHANDISE. SÛREMENT LA MEILLEURE FAÇON DE S'EN SORTIR PSYCHOLOGIQUEMENT.

EST-CE QUE C'EST D'ÊTRE DANS UN PAYS COMME LA CHINE QUI ME POUSSE À AVOIR DES RÉFLEXIONS SUR LA LIBERTÉ?

LE MATIN, QUAND LA FEMME D'ÉTAGE ME VOIT SORTIR DE LA CHAMBRE, ELLE SE PRÉCIPITE VERS L'ASCENCEUR POUR LE FAIRE VENIR. IL SUFFIT D'APPUYER UNE SEULE FOIS ET C'EST BON...

POURTANT ELLE CONTINUE D'APPUYER SANS ARRÊT, JUSQU'À CE QUE L'ASCENCEUR SOIT LÀ. ELLE DOIT S'IMAGINER QUE SON ACHARNEMENT LE FERA ARRIVER PLUS VITE. JE LUI EXPLIQUERAIS BIEN

MON POINT DE VUE MAIS AVEC DES GESTES, JE VOIS PAS COMMENT. ALORS JE RESTE LÀ, À LA REGARDER.

DANTE NOUS A DÉCRIT L'ENFER AINSI :

EN CHINE ON POURRAIT TRANSPOSER ÇA COMME ÇA :

À MOINS D'ÊTRE CLANDESTIN OU DE TRAVAILLER AU NOIR, CHAQUE ÉTAPE REQUIERT UN VISA TRÈS DIFFICILE À OBTENIR, VU QUE À PEU PRÈS TOUT LE MONDE AIMERAIT SE BARRER.

LA LIMITE NORD DE SHENZHEN, PAR EXEMPLE EST PROTÉGÉE PAR UNE CLÔTURE ELECTRIFIÉE QUI EST SURVEILLÉE NUIT ET JOUR PAR DES SOLDATS POSTÉS DANS DES MIRADORS...
DE MA CHAMBRE JE LES VOYAIS TRÈS BIEN.

J'AI FRANCHI LA ZONE ÉLECTRI-FIÉE POUR LA PREMIÈRE FOIS À LA SUITE D'UNE INVITATION PAR UN STUDIO DE CANTON. VOYAGE D'AFFAIRES EN QUELQUE SORTE VISANT À FAIRE CONNAÎTRE CE JEUNE STUDIO PRINCIPALEMENT FORMÉ PAR LES MEILLEURS ANIMATEURS QUI VENAIENT DE QUITTER LE NÔTRE.

RENDEZ-VOUS DANS UN HÔTEL CHIC LE SAMEDI MATIN.

PUIS 2 HEURES DE ROUTE VERS LE NORD.

AU BEAU MILIEU DE NULLE PART, DES ÉNORMES CHANTIERS DE CONSTRUCTION SE DRESSENT... DES TRUCS GIGANTESQUES, DU GENRE PALAIS DES CONGRÈS MAIS SANS LA VILLE QUI VA AUTOUR.

CHANTIERS... TERRAINS VAGUES... CHANTIERS... COMME ÇA PENDANT DES HEURES... À PEINE PLUS DÉPRIMANT QUE QUÉBEC-MONTRÉAL PAR LA TRANS-CANADIENNE.

SAUF QUE LÀ-BAS C'EST: SAPINS...TERRAINS VAGUES...SAPINS...

EN PASSANT SUR UN VIADUC, J'EN VOIS UN QUI, ACCROUPI DANS CETTE POSITION TYPIQUE AUX ASIATIQUES, LISAIT TRANQUILLEMENT SON JOURNAL EN ÉQUILIBRE SUR LA RAMBARDE...

CANTON
...

ENFIN UNE VILLE QUI RESSEMBLE À CE QU'ON VOIT DANS LES DOCU-MENTAIRES.

DÈS MON ARRIVÉE, JE SUIS PRIS EN CHARGE. UN TRADUCTEUR NOUS ACCOMPAGNE ET ME PRÉSENTE À UN TAS DE GENS.

AU RESTO DU HOLLIDAY INN, JE MANGE UNE DÉLICIEUSE SOUPE DE SERPENT...

ON NOUS SERT UN THÉ AUX FRUITS À L'AIDE D'UNE CURIEUSE THÉIÈRE.

LE DIRECTEUR DE L'HÔTEL VIENT NOUS SOUHAITER LA BIENVENUE EN NOUS GRATIFIANT DE SA CARTE DE VISITE.

LA POLITESSE EN CHINE VEUT QUE L'ON OFFRE AVEC LES DEUX MAINS

ET ON REÇOIT DE LA MÊME MANIÈRE...

ENSUITE, IL FAUT FAIRE SEMBLANT DE S'INTÉRESSER...

—MMM...PASSIONNANT.

DANS LA JOURNÉE JE VISITE LE STUDIO, (LARGEMENT MEILLEUR QUE CELUI DE SHENZHEN), ON ME RAMÈNE À L'HÔTEL ET JE ME BALADE DANS LE COIN.

BON, IL Y A BEAUCOUP DE MONDE, MAIS JE PASSE INAPERÇU...ÇA C'EST TRÈS APPRÉCIABLE.

Y'A PLEIN DE CHOSES À VOIR À CANTON : DES VIEUX MARCHÉS, DES PAGODES, DES MUSÉES...

MAIS Y'A SURTOUT, Ô JOIE... DES CAFÉS OÙ L'ON SERT DU VRAI CAFÉ !

UN PEU D'EXOTISME,
ALLONS VOIR LA FABRI-
CATION DU POP-CORN
CHEZ NOS AMIS LES
CHINOIS.

DU MAÏS...

ON CHAUFFE...

ON
OUVRE
...

BOUM

ET VOILÀ !
-MIAM

LE LENDEMAIN, JE VISITE UNE CHAÎNE DE TÉLÉ, AVEC NOUS LE PDG ET QUELQUES DIRECTEURS. À UN MOMENT LA CONVERSATION DÉRIVE SUR LES SALAIRES... JE LEUR EXPLIQUE QUE CHEZ NOUS, LES TECHNICIENS COMME CEUX QUE NOUS VENONS DE CROISER, SONT PAYÉS LE DOUBLE LES DIMANCHES.

RIGOLADE GÉNÉRALE

DURANT TOUT MON SÉJOUR EN CHINE, JE NE CROIS PAS QU'UNE DE MES BLAGUES AIT FAIT AUTANT RIRE.

ENSUITE AVEC LE TRADUCTEUR ET LE CHAUFFEUR ON SE BALADE EN VILLE.

– YOUPI

MON TRADUCTEUR DOIT AVOIR COMME CONSIGNE DE PAS ME QUITTER PARCE QUE MÊME AUX CHIOTTES IL ME SUIT.

APRÈS UN MOMENT, POUR SE DONNER UNE CONTE- NANCE IL FAIT SEMBLANT DE PISSER...

NOTRE CHAUFFEUR (QUE L'ON NE M'A PAS PRÉSENTÉ) A UNE VRAIE TÊTE D'ACTEUR ON DIRAIT UN PEU LA VERSION ASIATIQUE DE BOGART.

PENDANT LA VISITE AU MUSÉE, IL SEMBLE EN CONNAÎTRE UN RAYON EN MA- TIÈRE DE VASES MING.

MALHEUREUSE- MENT MON TRADUCTEUR FAIT DE LA RÉ- SISTANCE PAS- SIVE ET NE M'EN TRADUIT PAS LE CIN- QUIÈME.

LE SOIR ON SE RETROUVE DANS UN PSEUDO- RESTAURANT CORÉEN...

OÙ JAMAIS DE MA VIE, J'AI VU QUELQU'UN METTRE AUTANT DE SEL DANS UN PLAT.

FASCINÉ, J'ADMIRE LE CUISTOT PRÉPA-
RER LE RIZ FRIT (RIZ CANTONAIS) :
CREVETTES, OEUFS, SOJA, UN PEU DE POIVRE

UN
PEU DE
SEL

UN PEU...

PAS
POSSIBLE,
ELLE
S'ARRÊTE
PLUS.

C'EST
UN
GAG!

ON VA
PAS
MANGER
ÇA!

LE SOIR MÊME, APRÈS UN RALLYE CONTRE LA MONTRE DANS LE TRAFFIC CANTONAIS, J'ARRIVE À PRENDRE
L'EXPRESS POUR SHENZHEN, GRÂCE À MON HUMPHREY BOGART DE PILOTE.

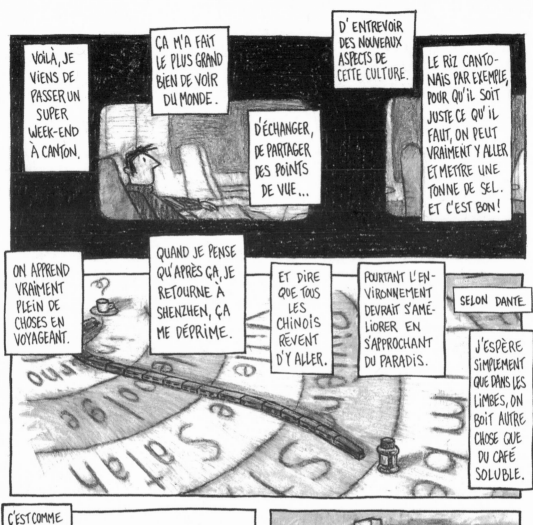

VOILÀ, JE VIENS DE PASSER UN SUPER WEEK-END À CANTON.

ÇA M'A FAIT LE PLUS GRAND BIEN DE VOIR DU MONDE.

D'ÉCHANGER, DE PARTAGER DES POINTS DE VUE...

D'ENTREVOIR DES NOUVEAUX ASPECTS DE CETTE CULTURE.

LE RIZ CANTONAIS PAR EXEMPLE, POUR QU'IL SOIT JUSTE CE QU'IL FAUT, ON PEUT VRAIMENT Y ALLER ET METTRE UNE TONNE DE SEL. ET C'EST BON!

ON APPREND VRAIMENT PLEIN DE CHOSES EN VOYAGEANT.

QUAND JE PENSE QU'APRÈS ÇA, JE RETOURNE À SHENZHEN, ÇA ME DÉPRIME.

ET DIRE QUE TOUS LES CHINOIS RÊVENT D'Y ALLER.

POURTANT L'ENVIRONNEMENT DEVRAIT S'AMÉLIORER EN S'APPROCHANT DU PARADIS.

SELON DANTE.

J'ESPÈRE SIMPLEMENT QUE DANS LES LIMBES, ON BOIT AUTRE CHOSE QUE DU CAFÉ SOLUBLE.

C'EST COMME LE STUDIO À LA RÉUNION

ON SE DIT: AH! LA RÉUNION.

EH BEN NON!

ILS AVAIENT RÉUSSI À PLACER ÇA DANS L'ENDROIT LE PLUS SORDIDE DE L'ÎLE.

UN JEUNE CHINOIS M'ABORDE
ET NOUS ESSAYONS DE DISCUTER

IL ME FILE INÉVITABLEMENT
SA CARTE ET M'INVITE À
LE RAPPELER POUR SE
REVOIR.

FACE À LA PORTE, L'HÔTESSE DU WAGON ÉXÉCUTE LE
SALUT MILITAIRE LORS DE L'ENTRÉE EN GARE.

C'EST 'CLASS' QUAND MÊME, NON?

RETOUR AU GREAT WALL HOTEL

WHAT TIME IS IT?

Y COMMENCE À M'ÉNERVER CELUI-LÀ

COMME D'HABITUDE LA FEMME DE MÉNAGE A LAISSÉ LA CLIM. À FOND DANS LA CHAMBRE.

JE GÈLE.

UN PEU
À BOUT, JE
BALANCE
MON PIED
DANS LE
THERMOSTAT

ET GRÂCE À CE COUP DE COLÈRE, JE DÉCOUVRIS L'HORRIBLE VÉRITÉ...

PAS CROYABLE !

UNE CAMÉRA !

DEPUIS LE DÉBUT J'ÉTAIS SOUS SURVEILLANCE !...

SANS DOUTE LE KGB !

MAIS NON PAS DU TOUT

Y'AVAIT PAS DE CAMÉRA... ET LE KGB C'EST EN URSS PAS EN CHINE.

MAIS J'AI DÉCOUVERT AUTRE CHOSE ; LE VARIATEUR DE TEM-PÉRATURE POUR LA CLIM NE FAISAIT RIEN VARIER DU TOUT. C'ÉTAIT JUSTE UNE ROULETTE EN PLASTIQUE FIXÉE PAR UNE VIS.

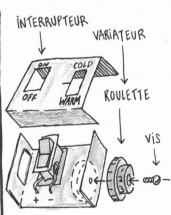

INTERRUPTEUR
VARIATEUR
ROULETTE
VIS

COLD AND WARM MON CUL.

JE ME LÈVE, PLEIN DE BONNES RÉSOLUTIONS

RENCONTRER DES GENS.

ALLO

FAIRE DU SPORT

FAIRE DES CROQUIS

AU COIN DE LA RUE, UN GROUPE DE FEMMES QUI RÉPARENT LA RUE AVEC PICS ET PIOCHES.

LE CÔTÉ MOINS MARRANT DE LA LIBÉRATION DE LA FEMME.

AUJOURD'HUI PREMIER DÉCEMBRE, JE VOIS UNE SOURIS DANS LE STUDIO.

LE TRAVAIL, CE MATIN, M'ATTEND DE PIED FERME.

C'EST PAS TROP TÔT VU QU'IL FAUT LIVRER POUR DEMAIN.

C'EST LA BONNE VIEILLE MÉTHODE CHINOISE QUI CONSISTE À ACCUMULER JUSQU'AU DERNIER MOMENT POUR QUE L'ÉPISODE SOIT VÉRIFIÉ ET APPROUVÉ EN CATASTROPHE.

MAIS BON, COMME JE TIENS PAS PARTICULIÈREMENT À M'ABONNER À CETTE MANIÈRE DE PROCÉDER, JE LES LAISSE EN PLAN DANS LE MILIEU DE LA SOIRÉE.

AVANT DE PARTIR, JE COMPRENDS POURQUOI LES GENS DU STUDIO UTILISAIENT UNIQUEMENT L'URINOIR DE DROITE.

IL MANQUAIT UN BOUT DE TUYAU.

MEEEEEERDE !

LE SOIR, JE RETROUVE CHEUN, MON COPAIN DU TRAIN ET NOUS ALLONS MANGER DU CHIEN DANS UN RESTO QUE J'AVAIS REPÉRÉ.

JE SUIS RAVI D'AVOIR UN GUIDE ET LUI DE PRATIQUER SON ANGLAIS.

DANS UN BOUILLON REMPLI DE MORCEAUX DE VIANDE, ON PLONGE QUANTITÉ DE LÉGUMES QUE L'ON MANGE ENSUITE AVEC UNE SAUCE AUX CHAMPIGNONS.

IL Y A AUSSI UNE VARIÉTÉ DE TOFU EN FORME DE CÉLERI QUI FOND DANS LA BOUCHE.

SINON LE CHIEN C'EST ASSEZ BON; LE GOÛT EST FORT, UN PEU COMME LE MOUTON.

À UN MOMENT LA TABLE DES VOISINS PREND FEU.

DANGEREUSEMENT LA FLAMME DESCEND LE LONG DU TUYAU EN CAOUTCHOUC.

HEUREUSEMENT UN HÉROÏQUE SERVEUR ÉTEINT LE GAZ AVANT QUE ÇA PÈTE. CONSCIENTS D'AVOIR FRÔLÉ LA CATASTROPHE, NOUS BUVONS UN COUP.

SUR LE CHEMIN DU TRAVAIL IL Y A DE CURIEUSES BOUTIQUES.

IL Y EN A PLUSIEURS OÙ ON TROUVE DES COFFRES-FORTS ET DES SOUPES DÉSHYDRATÉES.

CE QUI NOUS EN DIT LONG SUR LES PRÉOCCUPATIONS DU CHALAND MOYEN.

UN COFFRE-FORT ET DEUX SOUPES S'IL-VOUS-PLAIT.

ILS SONT TOUS VERTS AVEC DES PETITES DÉCORATIONS DANS LES COINS, COMME DANS LUCKY LUKE.

LA CHINE, C'EST LE FAR-WEST

IL Y A AUSSI LA TRÈS SURRÉALISTE RUELLE DES FRINGUES.

OÙ CHAQUE COMMERÇANT PRÉSENTE SA COLLECTION AVEC LES DEUX MÊMES MANNEQUINS TOUS DISPOSÉS DE LA MÊME MANIÈRE DE CHAQUE CÔTÉ DE SA BOUTIQUE. UN GENRE DE DÉFILÉ MILITAIRE DE LA MODE, MAIS FIXE.

ON SE CROIRAIT AU MUSÉE.

POUR ALLER PLUS VITE, JE PASSE TOUTES MES MATINÉES À REPRENDRE LES PLANS LES PLUS FOIREUX.

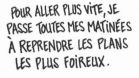

UN PROBLÈME PARMI D'AUTRES : L'HÉROÏNE QUI LOUCHE.

LE MODÈLE DE BASE

ON M'AVAIT PRÉVENU À PARIS.

TU VOIS, L'ŒIL DE THETI EST FORMÉ DE TROIS COURBES.

IL FAUT BIEN LEUR FAIRE COMPRENDRE ÇA, LÀ-BAS.

LE DIRECTEUR

HMM... HMM...

ÇA PROMET.

S'ARRÊTER SUR DE TELS DÉTAILS, C'EST BIEN PEU CONNAÎTRE LA SOUS-TRAITANCE EN CHINE.

LUNDI

PAPYRUS PRENDS GARDE

Y FAUDRAIT REPRENDRE LES YEUX, POUR QU'ELLE LOUCHE PAS.

MARDI

PAPYRUS PRENDS GARDE

AH NON,... ATTENTION,... ELLE LOUCHE TOUJOURS.

MERCREDI

PAPYRUS PRENDS GARDE

MAIS C'EST PIRE...

JEUDI

PAPYRUS PRENDS GARDE

BON ÇA VA, JE VAIS M'EN CHARGER.

DE GUERRE LASSE.

AH LÀ LÀ... Y'A DES FEUILLES QUI SONT TROUÉES À FORCE D'AVOIR ÉTÉ GOMMÉES.

PAPYRUS PRENDS GARDE

POURTANT ON SE DIT QUE ÇA DEVRAIT PAS LEUR POSER DE PRO-BLÈMES DE DESSINER DES YEUX EN AMANDES.

SURTOUT UN, TRÈS GRAND, AVEC LES YEUX TRÈS BRIDÉS QUI VENAIT DE LA MANDCHOURIE.

AH AH AH

ALORS LUI, SOIT IL TROUVAIT TOUT CE QUI L'ENTOURAIT DÉSOPILANT, OÙ SOIT IL SE FOUTAIT OUVERTEMENT DE MA GUEULE.

AH AH AH AH AH AH AH AH AH

J'AI PAS TRÈS BIEN SAISI, LÀ...

HEU... IL A DIT QU'IL DESSINERA LES YEUX MIEUX LA PROCHAINE FOIS.

HMM!

MIEUX VAUT NE PAS ÊTRE TROP PARA-NOÏAQUE DANS CE GENRE DE CONTEXTE.

EN GROS,
TOUT REPOSE
SUR LE
STORY BOARD...

QUAND IL
EST MAL
FICHU, TOUTES
LES ERREURS
SONT
POSSIBLES.

QUAND IL EST
BIEN DESSINÉ,
L'ÉPISODE SE
PASSE BIEN...

ÉPISODE 16

- THÉTI TURNS TO LOOK FORWARD,
INTO POSE, STARING TO OFF
SCREEN
- PAPYRUS GESTURES TO OFF SCREEN,

SKY

ÉPISODE 3

| Durée | Temps écoulé | Nbm images |
|---|---|---|
| 0:02:50 | 6:58:38 | 6 2 |

(REUT BG 116 SERRE OUT FOCUS)

Tiya souriante. Papyrus étonné.

67 - RAOUSER (essoufflé et épuisé)(OFF):
Ouh, mes pauvres rhumatismes...

CAR POUR ÉCONOMISER
UN POSTE DE PLUS, LA
PRODUCTION AVAIT LAISSÉ
AUX CHINOIS LE SOIN DE
FAIRE LA PRÉPARATION
DE L'ANIMATION ( LE
LAYOUT )

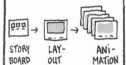

STORY
BOARD

LAY-
OUT

ANI-
MATION

RÉSULTAT SUR LE TERRAIN:

UNE ÉQUIPE DE LAYOUT IN-
EXISTANTE ET DES ANIMATEURS
QUI AGRANDISSENT À LA
PHOTOCOPIEUSE LES CASES DU
STORYBOARD POUR TRAVAILLER.

CE QUI EST, PRODUCTIVEMENT
PARLANT, PAS TRÈS ORTHODOXE.

EN 90 QUAND JE SUIS ARRIVÉ À MONTPELLIER, IL Y AVAIT 3 STUDIOS QUI EMPLOYAIENT DES ANIMATEURS.

DIX ANS APRÈS, LES ANIMATEURS N'EXISTENT PRATIQUEMENT PLUS ET LE LAYOUT CONNAÎT LE MÊME DESTIN.

C'EST BIEN DOMMAGE, LE MÉTIER D'ANIMATEUR ÉTAIT UN CHOUETTE MÉTIER.

CAR POUR CELUI QUI MAÎTRISE LES BASES DU MOUVEMENT, SA CAPACITÉ À OBSERVER SON ENVIRONNEMENT SE VOIT AUGMENTÉE GRÂCE À SON OEIL BIONIQUE.

OEIL DE BASE

30%

OEIL D'ANIMATEUR

AVEC 30% DE PERSISTANCE RÉTINIENNE EN PLUS !

PRENEZ UN ANIMATEUR DANS UN PARC...

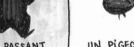

UN PASSANT

UN PIGEON

UNE FEUILLE

UN CHIEN

UN VÉLO

UNE PASSANTE

UN DRAPEAU

TOUT CE QUI SE RATTACHE AU MOUVEMENT ACQUIERT UNE FINESSE SUPPLÉMENTAIRE.

IL PEUT MÊME, SUR UNE COURTE DURÉE ET AVEC UN CERTAIN ENTRAÎNEMENT, FIGER LE TEMPS.

VOYONS VOIR ÇA

AH NON, C'EST PAS ÇA !

C'EST TROP MOU.

NAN...

ÇA VA PAS...

Y FAUT EXAGÉRER ! SINON ÇA FLOTTE...

PAS DE POIDS.

C'EST TYPIQUE.

AVEC LE RECOURS À LA SOUS-TRAITANCE, LA QUALITÉ DE L'ANIM EN A PRIS UN COUP.

MAIS COMME C'EST DE LA SÉRIE-TÉLÉ, "ÇA PASSE" COMME ON DIT.

MA TÂCHE ICI, CONSISTE PLUS À SAUVER LES MEUBLES EN RAFISTOLANT PAR-CI PAR-LÀ QUE DE RÉELLEMENT DIRIGER UNE ÉQUIPE D'ANIMATEURS.

AÏE, J'AI MAL AU BIDE, ÇA DOIT ÊTRE LE CAFÉ.

LA CHINE POSSÈDE LA TRISTE RÉPUTATION D'ÊTRE LE PAYS LE PLUS SALE DU MONDE.

ON A TOUJOURS PAS D'EAU.

AH!...

CERTES C'EST SPECTACULAIRE MAIS ON S'Y HABITUE ASSEZ RAPIDEMENT ... ÇA DEVIENT VITE NORMAL ... ET MÊME L'ODEUR QUI REBUTAIT TANT LES PREMIÈRES FOIS, LAISSE APPRIVOISER, APRÈS QUELQUE TEMPS, SON SINGULIER BOUQUET.

HMM...

...DE TOUTES LES COULEURS AUJOURD'HUI.

RENTRÉ À L'HÔTEL, LES ÉVÉNEMENTS DE LA JOURNÉE M'ONT INSPIRÉ QUELQUES RÉFLEXIONS QUE JE NOTE AVANT D'ALLER AU LIT.

EN CE SAMEDI MATIN, UNE SOUDAINE MOTIVATION ME POUSSE À MONTER SUR MON VÉLO, À TRAVERSER AVEC DÉTERMINATION LA VILLE, ET À DÉCOUVRIR LA VERTE CAMPAGNE CHINOISE ... JE VOIS PAS SINON CE QUE JE POURRAIS FAIRE D'AUTRE.

AU BOUT DE DEUX BONNES HEURES D'EFFORTS, JE SUIS BLOQUÉ PAR UNE BRETELLE D'ACCÈS QUI SE TRANSFORME EN AUTOROUTE. JE BATS EN RETRAITE.

SUPER WEEK-END

LE LENDEMAIN AVEC CHÉUN NOUS ALLONS VISITER LE SEUL ATTRAIT TOURISTIQUE DE LA VILLE.

"WORLD WINDOWS", UN PARC THÉMATIQUE QUI PROPOSE AUX CHINOIS UN CONCENTRÉ DE TOUR DU MONDE.

ON Y TROUVE TOUTES LES GRANDES ARCHITECTURES PLANÉTAIRES.

MAIS 19 FOIS PLUS PETIT.

À PART LA TOUR EIFFEL.

JONATHAN SWIFT AURAIT APPRÉCIÉ

LE PONT DU GARD.

LES GRANDES PYRAMIDES

LE GRAND CANYON (EN PLASTIQUE)

EN AUSTRALIE, UN TYPE ME DEMANDE DE POSER AVEC SA FEMME POUR UN SOUVENIR.

MON COMPAGNON SEMBLE RETIRER BEAUCOUP DE FIERTÉ DE CETTE SITUATION...

IL EXPLIQUE À QUI VEUT L'ENTENDRE QUE JE SUIS FRANÇAIS.

DANS LA SECTION AFRIQUE ON PROPOSE UNE DANSE "DWÉLÉ". JE ME PRÉCIPITE, DES AFRICAINS EN CHINE C'EST RARE.

RIEN DE TOUT ÇA, EN FAIT CE SONT DES CHINOIS DU NORD-OUEST (MOINS TYPÉS ASIATIQUES) ENDUITS DE CIRAGE QUI GESTICULENT COMME DES GAMINS.

ALORS ÇA...

ÇA VALAIT LE DÉTOUR...

SANS CONTESTE, LE MEILLEUR MOMENT DE LA JOURNÉE !

JE VOIS UN RAT SORTIR DU MÉMORIAL LINCOLN.

À L'APPROCHE DE LA RÉPLIQUE EN CÉRAMIQUE DE LA PARTIE SUD DE MANHATTAN, MON GUIDE COMMENCE À S'ANIMER...

CHASE MANHATTAN BANK

SEAGRAM BUILDING

CHRYSLER BUILDING

WORLD TRADE CENTER

FLAT IRON

EMPIRE STATE BUILDING

JE LUI RACONTE MON RÉCENT SÉJOUR LÀ-BAS. QUAND J'ÉVOQUE LE QUARTIER CHINOIS, IL POUSSE DES EXCLAMATIONS ET SES YEUX ME FIXENT AVEC AVIDITÉ.

JUSTE À CÔTÉ, IL Y A "SPLENDID CHINA" UN AUTRE PARC À THÈME DÉDIÉ UNIQUEMENT AUX MERVEILLES DE LA CHINE.

CHEUN N'Y A JAMAIS MIS LES PIEDS, ALORS QUE C'ÉTAIT SA 5ᵉ FOIS AU "WORLD WINDOWS".

WILL YOU GO VISIT "SPLENDID CHINA" ONE DAY?

NO.

ÇA DONNE QUAND MÊME LE GOÛT DE VOYAGER TOUT ÇA...

J'IRAIS BIEN VOIR LE TAJ MAHAL UN DE CES QUATRE...

QUAND JE PENSE QUE J'AI QU'À ACHETER UN BILLET ET J'Y VAIS...

JE PEUX ALLER OÙ JE VEUX...

C'EST D'AUTANT PLUS AGRÉABLE QUE C'EST RARE DE PRENDRE CONSCIENCE DE TOUTE L'ÉTENDUE DE SA LIBERTÉ.

JE PROFITE D'AVOIR MON GUIDE POUR DÉCOUVRIR UN NOUVEAU RESTAURANT.

DU POUMON DE CHÈVRE AU POIVRE. UN PEU CAOUTCHOUTEUX...

DES OEUFS DE MILLE ANS À L'ASPECT VERDÂTRE PEU RAGOUTANT MAIS DÉLICIEUX AU GOÛT.

ET DES VAPEURS... SPÉCIALITÉS MAISON.

À L'HOTEL, LE PORTIER ME TIENT INFORMÉ DE SES PROGRÈS EN ANGLAIS.

HOW OLD IS YOU?

SHENZHEN EST LA VILLE QUI CONNAÎT LE PLUS FORT TAUX DE CROISSANCE AU MONDE.

DES GRUES À PERTES DE VUES...

DES OUVRIERS QUI TRAVAILLENT JOUR ET NUIT

CERTAINS IMMEUBLES EN CONSTRUCTION PROGRESSENT D'UN ÉTAGE PAR JOUR.

DIMANCHE

LUNDI

MARDI

DANS LA RUE UN DÉTAIL ME RAPPELLE QUE NOËL N'EST PLUS TRÈS LOIN...

CE JOUR-LÀ, EN PASSANT PAR LE MARCHÉ, JE SUIS TÉMOIN D'UN DES ÉVÉNEMENTS LES PLUS EXTRAORDI-NAIRES DE MON SÉJOUR...

JE M'ATTARDE D'ABORD DEVANT LE POISSONNIER

EN CHINE QUAND LE POISSON N'EST PAS FRAIS, IL FLOTTE SUR LE VENTRE.

MMM...LA BONNE AMBIANCE.

DANS LES MARCHÉS, LE MILIEU DE L'ALLÉE FAIT OFFICE DE POUBELLE. BROYÉS SOUS LA SEMELLE DES PASSANTS, LES DÉTRITUS JETÉS AU COURS DE LA JOURNÉE PAR LES MARCHANDS, SE TRANSFORMENT LENTEMENT EN BOUILLIE.

PLUS HAUT DEVANT MOI, JE VOIS UN VIEUX QUI GLISSE ET S'ÉTALE PAR TERRE DANS L'INDIFFÉRENCE GÉNÉRALE...

IL SE RELÈVE ET LORSQUE J'ARRIVE À SA HAUTEUR, JE REMARQUE À SES PIEDS UNE PEAU DE BANANE...

INCROYABLE!

JUSTE DEVANT MES YEUX, CE TYPE VENAIT DE GLISSER SUR UNE PEAU DE BANANE!

UNE PEAU DE BANANE!

JAMAIS J'AURAIS CRU VOIR ÇA UN JOUR.

MOI QUI PENSAIS QUE ÇA ARRIVAIT QUE DANS LES BANDES-DESSINÉES...

FAUT-IL VENIR D'AUSSI LOIN POUR VOIR ÇA?

MON SÉJOUR VENAIT DE PRENDRE UN SENS.

LE STUDIO EST AU 8e ÉTAGE, POUR S'Y RENDRE IL Y A DEUX ASCENSEURS DONT UN TOUJOURS EN PANNE, C'EST SOUVENT TRÈS LONG AVANT DE L'AVOIR ...

ON SE RETROUVE RAPIDEMENT PLUSIEURS À ATTENDRE. SOUVENT CE SONT DES GENS QUE JE CONNAIS TRÈS BIEN, AVEC QUI JE TRAVAILLE QUOTIDIENNEMENT, MAIS SANS TRADUCTRICE, PAS DE COMMUNICATION POSSIBLE...

OU ALORS JE PRENDS L'ESCALIER.

AU 5e IL Y A UN COFFRE-FORT ÉVENTRÉ...

AU 7e, UN COUPLE QUI VIT DANS LE PLACARD À BALAI FAIT SÉCHER DE LA VIANDE.

AUJOUR D'HUI ON DEVRAIT TERMINER UN ÉPISODE. LES POCHETTES SONT À BOUT DE FORCE...

DÉBUT DE L'ÉPISODE

OUAIS, CELUI-LÀ Y VA ÊTRE SUPER

MILIEU DE L'ÉPISODE.

CORRECTIONS    REMARQUES

BON, IL Y A QUELQUES PROBLÈMES PAR-CI PAR-LÀ ...

FIN DE L'ÉPISODE

CORRECTIONS DE CORRECTION DE CORRECT    REMARQUES DE ARQUES RQUES DE REMARQUES

BAH! ALLEZ TANT PIS... C'EST DE LA SÉRIE, ÇA PASSERA.

C'EST ANORMALEMENT CALME, JE TROUVE UN VIEUX "THÉODORE POUSSIN" DANS LEQUEL UN MYSTÉRIEUX PERSONNAGE DÉCLAME UN TROUBLANT QUATRAIN DE BAUDELAIRE...

"AMER SAVOIR QU'ON TIRE DU VOYAGE !
LE MONDE, MONOTONE ET PETIT, AUJOURD'HUI
HIER, DEMAIN, TOUJOURS, NOUS FAIT VOIR NOTRE IMAGE
UNE OASIS D'HORREUR DANS UN DÉSERT D'ENNUI."

ÉH BEN!

C'EST JOVIAL...

LE DIRECTEUR DE PROJET AVEC QUI JE ME SUIS LIÉ D'AMITIÉ M'ANNONCE QU'IL VA SE FAIRE OPÉRER DU POUMON...

C'EST VRAI QU'IL A PAS L'AIR EN FORME LE PAUVRE...

PENDANT LES DEUX SEMAINES DE SON ABSENCE, PERSONNE NE SEMBLE SE SOUCIER DE SON SORT...

DO YOU HAVE ANY NEWS?

DID YOU PHONE HIM?

NO I DON'T KNOW

IL RÉAPPARAÎT UN JOUR... EXANGUE ET AVEC DES GRANDES CICATRICES LE LONG DU COU.

J'EXPLIQUAIS À UN ANIMATEUR QU'IL ÉTAIT PHYSIQUEMENT IMPOSSIBLE DE SE LEVER COMME IL VENAIT DE DESSINER.

IL FAUT D'ABORD SE PENCHER VERS L'AVANT EN DÉPLAÇANT LE CENTRE DE GRAVITÉ POUR POUVOIR ENSUITE SE REDRESSER NORMALEMENT.

POUR LE CONVAINCRE, JE L'ENCOURAGE À ESSAYER...

IL ESSAIE ET...

PLUS TARD JE M'APERÇOIS QU'AVEC SON COUP DE PIED IL A RENVERSÉ MON CAFÉ...

SON PLAN EN A QUELQUE PEU SOUFFERT.

J'ESSUIE LE TOUT MAIS IL EN RESTE SOUS LA VITRE. POUR ÉPONGER, JE GLISSE DES PAPIERS BUVARDS QUE J'OUBLIE COMPLÈTEMENT

IMMANQUABLEMENT, UNE POURRITURE S'EST DÉVELOPPÉE.
JE LAISSE L'EXPÉRIENCE SUIVRE SON COURS ET JOUR
APRÈS JOUR, J'ADMIRE LES MOTIFS SE TRANSFORMER.

MMM

UN MIDI ALORS QUE JE
MANGEAIS UN CANARD
LAQUÉ, UNE ANIMATRICE
DÉBOULE DANS MON BU-
REAU, M'OFFRE UN CADEAU
ET DISPARAÎT AUSSITÔT.

C'ÉTAIT...
UN BIG MAC!

ELLE RENOUVELA LA MANOEUVRE
UNE DEUXIÈME FOIS, SANS DOUTE
DANS L'ESPOIR DE VOIR DIMINUER
LA LISTE DE SES PLANS À CORRIGER.

QUAND ELLE COMPRIT QU'ELLE NE
M'INFLUENCERAIT PAS À COUP DE
BIG MAC, ELLE CHANGEA DE TACTIQUE
EN M'APPORTANT SES ALBUMS PHOTOS.

ELLE DEVANT UN ARBRE
ELLE DEVANT UNE FONTAINE
ELLE DEVANT UN TEMPLE
ELLE DEVANT UN RESTO
ELLE DEVANT UN PALAIS
ELLE DEVANT UNE VOITURE
ELLE DEVANT UNE MONTAGNE
ELLE DEVANT UNE PISCINE

...

pff!..

LA MÊME SILHOUETTE PLAQUÉE SUR UNE VARIÉTÉ DE DÉCORS FLOUS.

TOUTES TRÈS "SOFT" MALHEUREUSEMENT ...

Y'AVAIT AUSSI UN ALBUM AVEC DES PHOTOS DE CHARME ...

APPAREMMENT C'EST PAS LA MODESTIE QUI L'ÉTOUFFAIT... J'AI LAISSÉ LES ALBUMS OÙ JE LES AVAIS TROUVÉS ET JE N'EN AI PLUS ENTENDU PARLER.

DEPUIS UN TEMPS, J'ALLAIS ET VENAIS AU BOULOT EN VÉLO.

♫ C'EST LA LUUUTTE FINALE ♫

CIRCULER MÊME LENTEMENT, C'EST ASSEZ SPORTIF.

POUR Y ARRIVER, IL FAUT TOUT D'ABORD METTRE DE CÔTÉ NOS TRÈS CULTURELS RÉFLEXES DE POLITESSE.

ENSUITE QUELQUES PRINCIPES S'IMPOSENT ...

PREMIER PRINCIPE: UN ESPACE LIBRE PEUT-ÊTRE OCCUPÉ...

EN TOUS TEMPS.

ON PEUT DONC SE FAIRE COUPER LA ROUTE EN TOUTE TRANQUILITÉ.

DEUXIÈME PRINCIPE: L'AUTRE N'EXISTE PAS ...

OU DU MOINS PAS DANS UN RAYON DÉPASSANT UN MÈTRE CINQUANTE.

ESSAYER D'ANTICIPER AU-DELÀ, NE SERT À RIEN.

C'EST À GAUCHE.

À DROITE

À GAUCHE

Y VA OÙ LUI ?

... MAIS OÙ EST-CE QUI ...

PLUS D'UNE FOIS J'AI PU VÉRIFIER.

POUR TRAVERSER LA RUE: PROFITEZ D'UNE RUPTURE DU FLOT POUR Y INSÉRER UNE ROUE...

ON VOUS ÉVITERA ALORS PAR LE HAUT DANS L'ESPOIR DE VOUS REFOULER...

PROGRESSEZ AVEC LA MÊME DÉTERMINATION ...ON VOUS ÉVITERA MAINTENANT PAR LE BAS ...

LE PLUS DUR EST FAIT, VOUS TENEZ LE BON BOUT.

LE VÉLO EST UNE SOLUTION PARFAITEMENT ADAPTÉE AU MILIEU URBAIN.

VERSION SOLEIL

UN SÉJOUR EN CHINE CONVAINCRAIT LE DERNIER DES SCEPTIQUES.

VERSION PLUIE

AVANT D'ARRIVER À L'HÔTEL, LA ROUTE DESCEND DOUCEMENT EN FAUX PLAT SUR UN KILOMÈTRE. IL SUFFIT DE SE LAISSER ALLER ; PLUS PERSONNE NE PÉDALE.

VISUELLEMENT C'EST ASSEZ TROUBLANT CAR NOUS SOMMES TOUS FIXES ET POURTANT NOUS AVANÇONS.

L'ÉTRANGE IMPRESSION QUE C'EST LE DÉCOR QUI TOUT À COUP SE DÉPLACE EST SAISISSANTE. UN PEU COMME SI LA TERRE TOURNAIT SOUS NOS ROUES SANS PARVENIR À NOUS ENTRAÎNER DANS SA COURSE.

EN PANNE D'EAU CHAUDE POUR ME FAIRE UNE SOUPE JE SORS EN CHERCHER SUR LE PALIER...

OUPS!

維!

JUSTE DEVANT MA PORTE!

J'IMAGINE QUE C'EST UNE FORME DE TAÏ CHI INOFFENSIF.

ENFIN J'ESPÈRE...

À LA TÉLÉ ON CAPTE DEUX TYPES DE CHAÎNES ...

SI ON VOIT DES OUVRIERS QUI SOURIENT EN S'EXPRIMANT DEVANT DES JOURNALISTES, C'EST LA CHAÎNE NATIONALE ...

SI C'EST UN TOP-MODEL QUI SE PROTÈGE DES FLASHES DES JOURNALISTES EN DESCENDANT LES MARCHES DE L'OPÉRA, UNE MONTRE. SUISSE DE MARQUE À SON POIGNET,... C'EST LA CHAÎNE DE HONG-KONG.

HMMM! ÇA CHANGE DE COULEUR...

TOC
TOC
TOC

Y'EN AVAIT UN AU STUDIO, LA CARICATURE MÊME DU CHINOIS. LE PAUVRE... AVEC LES LUNETTES ET TOUT, LA PANOPLIE COMPLÈTE.

ET COMME IL ÉTAIT VRAIMENT TOUT PETIT, IL SE FAISAIT UN BRUSHING À LA VERTICALE POUR GAGNER EN HAUTEUR.

FAÇON ERASERHEAD.

AUJOURD'HUI JOUR J. APRÈS LE BOULOT, JE PRENDS MON COURAGE À DEUX MAINS ET JE VAIS M'INSCRIRE AU GOLD GYM... FAIRE UN PEU DE SPORT OCCUPERA MES SOIRÉES.

KRAK

POUR L'OCCASION J'AI ACHETÉ DES BASKETS ET UN SURVET. (TROP PETIT) QUE JE CRAQUE EN DESCENDANT DE VÉLO.

MAIS HEUREUSE-MENT MON SLIP EST À PEU PRÈS DU MÊME TON, ÇA NE DEVRAIT PAS ATTIRER L'ATTENTION.

MERD' !

À L'ACCUEIL, IL NE FAUT PAS MOINS DE QUATRE FILLES (QUI N'ARRÊTENT PAS DE SE MARRER) POUR PARVENIR À M'INSCRIRE.

HOP

HOP

PFF
PFF
PFF
PFF

LA SALLE EST PLEINE DE MONDE. ZUT, MOI QUI PENSAIS ÊTRE TRAN-QUILLE. JE NE CONNAIS RIEN À TOUS CES APPAREILS DE MUSCU.

MÊME SI JE PÉDALE TOUTE LA JOURNÉE, JE ME RABATS SUR LES VÉLOS POUR ME DONNER UNE CONTENANCE.

APRÈS UNE MINUTIEUSE OBSERVATION J'ESSAIE LE TAPIS ROULANT. ... MAIS C'EST PAS ÉVI- DENT À DÉMARRER !

ON VIENT M'AIDER

BIP

TOUT ÇA EST QUAND MÊME UN PEU SURRÉALISTE.

APRÈS UN MOMENT JE SUIS VRAIMENT CREVÉ MAIS J'ATTEINDS UN SECOND SOUFFLE ET JE CONTINUE EN

M'ABSORBANT, UN PEU HAGARD, DANS LA CONTEMPLATION DE CETTE PLANTE POSÉE JUSTE EN FACE DE

MOI QUI APRÈS DE LONGUES MINUTES SEMBLE MONTER ET DESCENDRE EN SUIVANT PARFAITEMENT MON RYTHME.

PRÈS DU GYM, JE DÉCOUVRE UN RESTO TAÏWANAIS. FAIT EXCEPTIONNEL EN CHINE, IL N'Y A PAS DE NÉONS AU PLAFOND POUR VOUS GLACER LE SANG ; L'ÉCLAIRAGE EST FEUTRÉ.

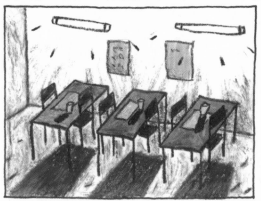 

ET TOUT AUSSI EXCEPTIONNEL LE SERVICE S'ACCOMPAGNE D'UN SOURIRE

J'Y MANGE TOUS LES SOIRS PENDANT UNE SEMAINE.

JE RENCONTRE UN CHINOIS PARLANT APPROXIMATIVEMENT L'ANGLAIS QUI ME TEND IMMANQUABLEMENT SA CARTE.

PAR CONTRE, IL PARLAIT PARFAITEMENT L'ALLEMAND QU'IL AVAIT ÉTUDIÉ PENDANT DES ANNÉES MAIS JAMAIS IL N'AVAIT EU L'OCCASION D'EN RENCONTRER UN.

PAS DE CHANCE.

IL M'ARRIVE DE PASSER DES JOURS SANS PRONONCER LA MOINDRE PAROLE.

AU TRAVAIL, MES INDICATIONS SONT D'ABORD ÉCRITES...

ALORS VOILÀ: IL FAUT FAIRE TRAÎNER LE BRAS SUR 4 IMAGES POUR PAS QUE TOUT S'ARRÊTE EN MÊME TEMPS.

EH OUI TÊTE DE NOEUDS!

APRÈS LA TRADUCTION, S'IL N'Y A PAS DE QUESTIONS ET QUE TOUT EST CLAIR, JE NE RENCONTRE PAS LES ANIMATEURS.

AU MOINS PENDANT LA SEMAINE, JE SALUE UN COLLÈGUE PAR-CI PAR-LÀ. LE WEEK-END LES POSSIBILITÉS DE COMMUNIQUER SONT PLUS RÉDUITES.

DU COUP, JE DÉVELOPPE UN BAVARDAGE INTÉRIEUR INHABITUEL ...

AH BEN VOILÀ! UN ÉTAGE DE PLUS. ...

UN PAR JOUR JUSQU'AU CIEL.

HÉ BEN... QUI C'EST QUI PIQUE LES PLAQUES D'ÉGOÛT MAINTENANT ?

C'EST PRESQUE PAS DANGEREUX POUR CEUX EN VÉLO ÇA...

C'EST COMME DANS CES FILMS OÙ L'ON ENTEND EN VOIX OFF LES PENSÉES DU PERSONNAGE PRINCIPAL.

JE CRITIQUE, JE COMMENTE CE QUI M'ENTOURE, J'INVENTE DES DIALOGUES COMME SI QUELQU'UN M'ÉCOUTAIT.

HOLÀ, LE RÉGIME A ATTRAPÉ UN DISSIDENT...

BIEN FAIT POUR SA GUEULE...

FALLAIT PAS REVENDIQUER!

LA DÉMOCRATIE... NON MAIS DES FOIS ET PUIS QUOI ENCORE?

TCHAK

TCHAK

JE REMARQUE QUE PETIT À PETIT LES EXPRESSIONS DE CHEZ MOI REFONT SURFACE.

UN CERTAIN DÉCALAGE SE PRODUIT, JE SUIS À LA FOIS NARRATEUR ET SPECTATEUR.

TCHECK-MOI ÇA LE CHAR!

... DIRECTEMENT DE L'ENFER!

PARFOIS, JE ME FAIS BIEN RIGOLER.

mpff...

AILLEURS QU'ICI, ÇA NE M'ARRIVE JAMAIS...

pfft.

HOW MANY CHILDREN ?

J'AI BEAU, LE MATIN, TOUT LAISSER EN DÉSORDRE, QUAND JE RENTRE LE SOIR, LA CHAMBRE RE-DEVIENT IMMUA-BLEMENT LA MÊME.

ÇA LAISSE LA CURIEUSE IMPRESSION QUE LE TEMPS N'AVANCE PAS...

LUNDI
MARDI
MERCREDI

OU PIRE, QUE LA MÊME JOURNÉE SE RÉPÈTE.

LUNDI
LUNDI
LUNDI

ALORS DÉJÀ QUE ÇA PASSE PAS VITE.

LE PLUS ÉNERVANT, C'EST QUAND MES JEANS REVIENNENT DU PRESSING AVEC UN PLI AU MILIEU.

C'EST PAS VRAI !

CE MIDI, J'INVITE MA TRADUCTRICE À MANGER DANS UN RESTAURANT QUE J'AI REMARQUÉ LA VEILLE.

C'EST MA TECHNIQUE POUR ESSAYER DES NOUVEAUX RESTAURANTS SANS AVOIR DE MAUVAISES SURPRISES, COMME HIER SOIR :

ATTENDS... MAIS C'ÉTAIT PAS DU POISSON QUE J'AVAIS COMMANDÉ ?

C'EST QUOI CE TRUC ?

GENCIVES DE PORC.

MAIS AUJOURD'HUI AGRÉABLE SURPRISE : C'EST DU GENRE CANTINE AVEC UN CHEF PAR SPÉCIALITÉ, ET AVANTAGE CONSIDÉRABLE POUR MOI, JE PEUX VOIR LES PLATS AVANT DE LES MANGER. MERVEILLEUX ! J'Y REVIENS QUASI-QUOTIDIENNEMENT, ET À FORCE LES CUISTOTS ME CONNAISSENT BIEN.

HELLO

HERE

NOODLES ?

TRY

VERY GOOD TODAY

HELLO

CANADA

HERE

SPECIALITY

TOFU?

L'UN D'EUX S'OCCUPE DE FAIRE TOUS LES JOURS DES PÂTES.

PLUS FRAIS TU PEUX PAS ...

MMM... FAMEUX

À MOINS D'ALLER LES CUIRE DANS LE CHAMP DE BLÉ LE JOUR DE LA MOISSON !

CE SOIR, ME DIT LA TRADUCTRICE, UN ANIMATEUR VEUT VOUS INVITER À MANGER AU RESTAURANT POUR FÊTER NOËL.

TRÈS BIEN. MOI J'AVAIS RIEN PRÉVU D'AUTRE QUE D'ALLER À LA GYM...

AH OUI TIENS! C'EST VRAI... J'AVAIS QUASIMENT OUBLIÉ QUE C'ÉTAIT AUJOURD'HUI.

VERY WELL!

PLUS LOIN, ON PASSE DEVANT UN GRAND PANNEAU QUI, M'AVAIT TOUJOURS INTRIGUÉ. J'EN PROFITE POUR LUI EN DEMANDER LA SIGNIFICATION.

ÇA C'EST LES PHOTOS DU COMMISSARIAT DE POLICE...LÀ ON VOIT LES CRIMINELS QU'ILS ONT ATTRAPÉS...

ET À CÔTÉ, C'EST CE QU'ILS ONT FAIT.

JE N'AI PAS VRAIMENT COMPRIS CE QU'ILS AVAIENT COMMIS (VOL? TRAFIC?) MAIS PAR CONTRE J'AI COMPRIS QUE CEUX MARQUÉS D'UNE CROIX ROUGE AVAIENT DÉJÀ ÉTÉ EXÉCUTÉS.

SELON LA PRESSE OFFI-CIELLE, IL Y A EU EN MOYENNE PLUS DE CINQ CONDAMNÉS PAR JOUR EN 1997. LES CHIFFRES RÉELS SONT PROBA-BLEMENT BIEN PLUS ÉLEVÉS. LE NOMBRE EXACT DE PEINES CAPI-TALES EST UN SECRET D'ÉTAT EN CHINE.

ON RACONTE QUE LES AUTORITÉS CHINOISES POUSSENT LE CYNISME JUSQU'À RÉCLAMER À LA FAMILLE DU CON-DAMNÉ, LE PRIX DE LA BALLE UTILISÉE POUR L'EXÉCUTION.

FOOD

TONIGHT

SURPRISE

FOR CHRISTMAS

YOU

COMME PRÉVU, VERS LA FIN DE LA JOURNÉE, UN ANIMATEUR M'INVITE À MANGER ...

OH !

IT'S A GOOD SURPRISE THANK YOU !

HEUREUSEMENT LA TRADUC-TRICE EST AUSSI CONVIÉE...

C'EST SPÉCIALITÉ DU NORD.

?

MORCEAUX DE CRABES DANS DE LA GELÉE AVEC UNE SAUCE AUX ARACHIDES ET AUX PIMENTS

DES VAPEURS AVEC DU BOEUF AUX CINQ ÉPICES.

DES MORCEAUX DE POMMES DE TERRE CARAMÉLISÉES QUE L'ON TREMPE DANS DE L'EAU FROIDE POUR DURCIR ET CASSER LES FILAMENTS DE SUCRE.

DES TRAVERS DE PORC (BIEN GRAS) CUITS DANS DE L'HUILE. MMM...

C'ÉTAIT VRAIMENT TRÈS BON. APRÈS LE REPAS IL ÉTAIT PRÉVU D'ALLER FAIRE UN TOUR AU "ENGLISH CORNER": UN ENDROIT OÙ JE POURRAIS FAIRE DES RENCONTRES ET DISCUTER AVEC DES CHINOIS.

IT'S FOR CHINESE TO PRACTICE ENGLISH.

VERY GOOD

ILS AURAIENT PU M'EN PARLER AVANT QUAND MÊME.

JE LEUR AVAIS DÉJÀ DEMANDÉ POURTANT. ET CE, DÈS MON ARRIVÉE AU STUDIO.

MAIS AUJOURD'HUI, PAS DE CHANCE. C'EST FERMÉ. J'Y SUIS RETOURNÉ PLUSIEURS FOIS PAR LA SUITE MAIS TOUJOURS SANS SUCCÈS.

QUOI FAIRE MAINTENANT? POUR TERMINER LA SOIRÉE JE LES INVITE À VENIR BOIRE UN VERRE À L'HÔTEL.

D'ABORD ILS SONT D'ACCORD... ENSUITE ILS DISCUTENT ET CHANGENT D'AVIS.

ON VA PLUTÔT ALLER BOIRE UN COUP CHEZ L'ANIMATEUR, MONSIEUR LIN...

OK LET'S GO!

LA TRADUCTRICE N'EST PLUS AVEC NOUS, ELLE DEVAIT RENTRER...

VERY FAR ?

OK

LE TRAJET N'EN FINIT PLUS, ON EST MAINTENANT DANS LES FAUBOURGS DE LA VILLE, IL N'Y A PLUS D'ÉCLAIRAGE PUBLIC... ON NE VOIT PAS GRAND CHOSE.

ON DESCEND AU BEAU MILIEU D'UN CHANTIER DE CONSTRUCTION.

C'EST UN GROUPE D'IMMEUBLES, IL Y A PLEIN DE GENS.

SON APPARTEMENT EST SITUÉ AU CINQUIÈME ÉTAGE. TOUTES LES PORTES SONT MUNIES DE BARREAUX.

MÊME AMBIANCE À L'INTÉRIEUR AVEC LES FENÊTRES.

LA DÉCORATION EST INEXISTANTE, LES MURS VERT HÔPITAL SONT ÉCLAIRÉS PAR DES NÉONS. C'EST LE DÉNUEMENT LE PLUS COMPLET, MIS À PART UN ÉNORME SOFA EN CUIR TRÔNANT DEVANT UNE NON MOINS ÉNORME TÉLÉ QU'IL ALLUME DÈS NOTRE ARRIVÉE.

IL Y A, JUSTE AU-DESSUS DE LA TÉLÉ, UNE CURIEUSE AFFICHE.

C'EST UNE PHOTO D'UNE TABLE DRESSÉE À LA FRANÇAISE AVEC LES PETITS PLATS DANS LES GRANDS, LA SOUPIÈRE EN PORCELAINE, LES FOUR-CHETTES EN ARGENT, ETC. TOUT CE QU'ON NE VOIT JAMAIS PAR ICI... C'EST, J'IMAGINE, TRÈS EXOTIQUE.

MON CAFÉ EST EXTRÊMEMENT DOUTEUX, EN HÔTE GÉNÉREUX JE CROIS QU'IL A FORCÉ SUR LA DOSE.

IL Y A DES GRUMEAUX QUI FLOTTENT À LA SUR-FACE FAÇON MARÉCAGE.

MÉFIANT, J'ESSAIE UNE PETITE GORGÉE ET INSTANTANÉMENT J'AI MAL AU BIDE.

JE REPOSE MA TASSE EN TRAÎTRE

VERY GOOD.

ET JE N'Y TOUCHE PLUS.

LA CONVERSATION ÉTANT TRÈS LIMITÉE, IL DÉCIDE DE ME PASSER DES CASSETTES DE TAÏ CHI CHUEN.

EN FOND SONORE IL Y A UNE FAIBLE MUSIQUE NEW-AGE QUI APRÈS UN CERTAIN TEMPS PARVIENT À M'APAISER.

MELY CHLISTMAS

OH!

THANK YOU

VERS LE MILIEU DE LA CASSETTE, IL COMMENCE À COMPRENDRE QUE JE NE BOIRAI PAS SON CAFÉ.

MAIS POUR LUI, ÇA EN POSAIT UN. IL SE MET À PASSER DES COUPS DE FIL À SES AMIS POUR ESSAYER D'EN TROUVER.

IL FINIT PAR ABANDONNER.

IL ME MONTRE DES TABLEAUX QU'IL A PEINT LORSQU'IL ENSEIGNAIT AUX BEAUX-ARTS DE PÉKIN.

ON DISCUTE PEINTURE, ET IL ME PARLE D'UN ARTISTE QU'IL AIME BEAUCOUP.

EN FAIT, IL PARLAIT DE REMBRANDT, MAIS EN CHINOIS ÇA SE DIT TOUT À FAIT AUTREMENT.

UNE PETITE REPRODUCTION EN NOIR ET BLANC DANS UN CATALOGUE D'ART, C'EST TOUT CE QU'IL AVAIT SUR SON PEINTRE PRÉFÉRÉ...

MÊME POUR UN PROFESSEUR DES BEAUX-ARTS IL EST DIFFICILE DE TROUVER DES LIVRES AVEC DES REPRODUCTIONS EN COULEURS.

L'AMBIANCE DE NOËL AIDANT, JE ME METS À LUI RACONTER L'HISTOIRE QUE REPRÉSENTE CETTE PEINTURE QU'IL AIMAIT TANT...

LA BELLE BETHSABÉE, AU SORTIR DE SON BAIN, VIENT DE RECEVOIR UNE LETTRE DU ROI DAVID QUI VEUT LA RENCONTRER. LA TÊTE INCLINÉE, ELLE SEMBLE SONGEUSE ; SON REGARD EST TRISTE CAR ELLE PRESSENT QU'ELLE VA AU DEVANT DE GRANDS MALHEURS ... MAIS ON NE REFUSE PAS À UN ROI.

DAVID POUR ÉPOUSER BETHSABÉE ENVERRA SON MARI SE FAIRE TUER AU COMBAT, ET YAHVÉ POUR PUNIR LE ROI FERA PÉRIR LE PREMIER ENFANT ISSU DE LEUR UNION ... ÇA FAIT UN PARTOUT.

C'EST TOUJOURS TRÈS SURPRENANT DE VOIR CE QU'ON ARRIVE À FAIRE PASSER AVEC UNE DIZAINE DE MOTS ET BEAUCOUP DE GESTICULATIONS.

AH! LA MAGIE DE NOËL!

LA SOIRÉE TERMINÉE, IL A TENU À ME RAC-COMPAGNER EN TAXI.

TANT D'ATTENTIONS, UNIQUEMENT POUR ME FAIRE PASSER UN JOYEUX NOËL VENANT DE QUELQU'UN QUE JE CONNAISSAIS À PEINE M'AVAIENT ÉMU.

JE L'AI VU REPARTIR EN COURANT POUR RATTRAPER UN BUS.

VERY CHRISTMAS.

JE ME SUIS DEMANDÉ SI CHEZ MOI ILS AVAIENT EU DE LA NEIGE POUR NOËL, J'ESPÈRE QUE OUI, C'EST TELLEMENT PLUS BEAU UN NOËL AVEC DE LA NEIGE ...

LA SEMAINE PASSE AUSSI LENTEMENT QUE LES AUTRES.

LE SOIR, JE DESSINE, IL FAUT QUE JE TERMINE UNE HISTOIRE POUR LE LAPIN N° 17.

C'EST BIEN LA PREMIÈRE FOIS QUE J'UTILISE DE LA VRAIE ENCRE DE CHINE

ELLE EST BEAUCOUP TROP ÉPAISSE, J'ARRIVE À PEINE À LA FAIRE SORTIR.

ENCORE PLUS CURIEUX, ELLE EST PARFUMÉE

SNIF! SNIF!

TOC TOC TOC

?

JE N'AI MÊME PAS LE TEMPS DE RÉPONDRE, QU'ELLE ENTRE ...

L'INTIMITÉ DANS LES CHAMBRES D'HÔTEL EN CHINE, C'EST QUELQUE CHOSE ...

UNE FOIS ELLE EST ENTRÉE QUAND JE PRENAIS MA DOUCHE.

HÉ!

UN MATIN, JE REVIENS DANS MA CHAMBRE CHER-CHER UN DOCUMENT QUE J'AVAIS OUBLIÉ.

C'EST COMME POUR LE FIL DE MON ÉCOUTEUR...

LONGTEMPS J'AI CRU QUE C'ÉTAIT UNE SOURIS, JUSQU'À CE QUE JE COMPRENNE UN JOUR QUE C'ÉTAIT LA FEMME DE CHAMBRE EN NETTOYANT QUI L'AVAIT BRÛLÉ SUR L'AMPOULE DE LA LAMPE.

JE ME DEMANDE BIEN, CE QU'ELLE PEUT PENSER DU DERNIER PORTISHEAD.

À VRAI DIRE...

D'UNE MANIÈRE GÉNÉRALE, JE ME DEMANDE BIEN CE QU'ILS PENSENT LA MAJEURE PARTIE DU TEMPS.

PRÈS DE SHENZHEN, ON PEUT SE RENDRE EN BUS DANS UNE PETITE VILLE OÙ IL Y A, PARAÎT-IL, BEAUCOUP D'ÉTRANGERS

CE SAMEDI MATIN, J'ÉTAIS DÉCIDÉ À ALLER VOIR ÇA !

ON M'AVAIT INDIQUÉ L'ENDROIT ET LE NUMÉRO DU BUS À PRENDRE POUR S'Y RENDRE.

SUR UN BOUT DE PAPIER : MA DESTINATION EN CHINOIS.

ICI, LE SOLEIL, C'EST UNE PLAIE.

LES GENS S'EN PROTÈGENT COMME SI C'ÉTAIT RADIOACTIF...

SURTOUT LES FILLES.

POUR LE MOMENT, QUOI FAIRE? JE N'AI GUÈRE D'AUTRE CHOIX QUE D'ALLER TRAINER À LA GYM... JE FAIS VAGUEMENT TRAVAILLER QUELQUES MUSCLES, MAIS LE COEUR N'Y EST PAS ; LES MOTIVATIONS ME FONT DÉFAUT.

C'EST DÉCIDÉ, LE WEEK-END PROCHAIN, JE LE PASSE À HONG KONG.

AU MOINS LÀ-BAS, J'ARRIVERAI À COMMU-NIQUER.

QUEL SENTIMENT DE PARFAITE INUTILITÉ....

TOUS CES APPAREILS SOPHIS-TIQUÉS POUR ME FAIRE SUER D'UNE FAÇON BIEN PRÉCISE SUR DES MUSCLES QUE J'UTILISERAI JAMAIS AUTREMENT DANS MA VIE.

AVEC TOUS LES MUSCLES QU'IL Y A DANS LE CORPS ...

J'AI PAS FINI.

TIENS, JE POURRAIS EN CHOISIR UN QUE PERSONNE N'A PENSÉ À DÉVELOPPER JUSQU'ICI ET ME CONCENTRER DESSUS ...

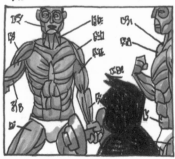

LE PETIT JUIF, TIENS! ÇA SERAIT PRATIQUE DE LE DÉVELOPPER POUR ÉVITER LES CHOCS ÉLECTRIQUES SUR LES COINS DE TABLE.

IL FAUDRAIT INVENTER UNE MACHINE QUI DÉVELOPPERAIT UNIQUEMENT LE PETIT JUIF.

APRÈS QUELQUES SEMAINES D'EFFORTS JE POURRAIS ALLER FAIRE LE BEAU DANS LES CAFÉS.

DANS LES VESTIAIRES, JE SYMPATHISE AVEC UN AMÉRICAIN QUI TRAVAILLE ICI DEPUIS QUELQUES MOIS.

IL EST, SANS AUCUN DOUTE LE SEUL HOMME DANS TOUTE LA CHINE À SUIVRE DES COURS D'AÉROBIC.

NOUS TERMINONS LA SOIRÉE DANS UN RESTO QU'IL CONNAÎT BIEN.

MÊME SI DEPUIS LA RÉUNIFICATION HONG KONG FAIT MAINTENANT PARTIE DE L'EMPIRE DU MI-
LIEU, IL FAUT PASSER LES CONTRÔLES DE PASSEPORT DE CHAQUE CÔTÉ DE LA FRONTIÈRE.

ON TRAVERSE ENSUITE EN TRAIN
UN "NO MAN'S LAND" PENDANT
PLUS D'UNE HEURE POUR ARRI-
VER À LA PREMIÈRE STATION
DE MÉTRO DES NOUVEAUX TER-
RITOIRES (NORD DE HONG-KONG).

TOUT EST PROPRE, LES JEUNES SONT BRANCHÉS (ILS PORTENT
LEUR JEAN FAÇON LUCKY LUKE), J'ARRIVE À LIRE TOUTES LES
PUBS SUR LES MURS... C'EST UN CHOC CULTUREL À L'ENVERS.

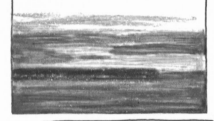 

ET MERVEILLE DES MERVEILLES,
JE PASSE PARFAITEMENT
INAPERÇU!

CE WEEK-END EST DÉJÀ
UN FRANC SUCCÈS.

HONG KONG C'EST UN PEU COMME NEW YORK SOUS LES TROPIQUES. J'Y RETROUVE LE RYTHME DES VILLES DE L'OUEST: CAFÉS, LIBRAIRIES, CINÉMAS, BOUTIQUES EN TOUT GENRE, JARDIN BOTANIQUE, ETC...

AU CINÉMA ON CHOISIT SA PLACE...

HEU... LE B7

CHEZ LE DISQUAIRE, J'ACHÈTE UN PASCAL COMELADE (TRÈS PO-PULAIRE ICI) QUI EST EN ÉCOUTE...

DANS LES BOUTIQUES, LES CHEMISES "X-LARGE" SONT TROP AJUSTÉES...

DANS UNE LIBRAIRIE, JE TROUVE LES AVENTURES DE HOLMES DANS UN LONDON UN PEU SINISÉ.

C'EST COMME DANS TINTIN

QUEL PLAISIR DE POUVOIR COMPREN-DRE UN MENU !

HMMM... DU SPAGHETTI "MEAT BALLS" AVEC DES BOULETTES !

AU GRÉ DU HASARD, JE DÉAMBULE TRANQUILLEMENT DANS LES RUES DE LA VILLE, UN SOURIRE BÉAT ACCROCHÉ AU VISAGE.

TOURISTIQUEMENT, IL Y A BEAUCOUP À FAIRE, JE CHOI-SIS DE PRENDRE LE PETIT TRAIN À CRÉMAILLÈRE QUI TRANSPORTE LES VOYAGEURS JUSQU'AU SOMMET DE L'ÎLE.

ON GRIMPE PRATIQUEMENT. À 45° !

CLAK CLAK CLAC CLAC CLAC

SI ÇA PÈTE, ON FERA PAS LONG FEU !

CLAK CLAC CLAC CLIC CLAC

CLAC CLIC CLAC CLIC CLAC

Y'A PAS DE SORTIE DE SECOURS...

CLIC CLIC CLAC CLAC CLIC CLAC

ET LES FENÊTRES NE S'OUVRENT PAS !

CLAC CLIC CLAC C

DU SOMMET ON PEUT ADMIRER UNE VUE PANORAMIQUE DE LA VILLE.

L'ENDROIT IDÉAL POUR SE FAIRE PHOTOGRAPHIER!

IL Y A MÊME UN TYPE QUI NE FAIT QUE ÇA.

MAIS CURIEUSEMENT, IL FAIT POSER SES CLIENTS SUR LA DROITE DEVANT UN FOND BLEU.

CLIC!

ENSUITE, AVEC L'AIDE D'UN ORDINATEUR, IL INCRUSTE UNE PHOTO DE LA VILLE QUI POURTANT SE TROUVE JUSTE EN FACE DE LUI.

NI TOUT À FAIT VRAI, NI TOUT À FAIT FAUX, UN TRÈS LÉGER DÉCALAGE DE LA RÉALITÉ: C'EST UN CONCEPT!

TOUT AU SOMMET, IL Y A UNE FONTAINE ASSEZ DIVERTISSANTE QUI PROJETTE DES JETS D'EAU SUR UN RYTHME RÉGULIER.

RÉFLEXE D'ANIMATEUR, J'ESSAIE DE DÉCOMPOSER CE FASCINANT MOUVEMENT QUI SE RÉPÈTE À L'INFINI...

CE QUI ÉTAIT REMARQUABLE, C'ÉTAIT QUE LA TRÈS FORTE POUSSÉE DE L'EAU OBLIGEAIT DE SITUER LA PREMIÈRE CLÉ QUASIMENT AU SOMMET DE LA TRAJECTOIRE.

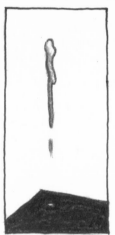

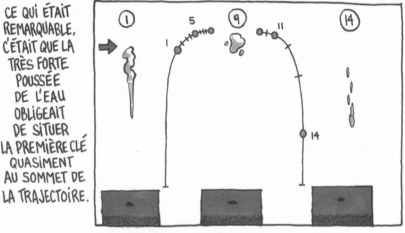

IMPOSSIBLE, MÊME EN REGARDANT ATTENTIVEMENT DE VOIR L'EAU SORTIR DE SON TROU...

APRÈS UNE NUIT DE SOMMEIL, JE DESCENDS DANS LE PARC SITUÉ JUSTE À CÔTÉ DE L'HÔTEL. JE TROUVE UN BANC PRÈS D'UN MAGNIFIQUE BANIAN CENTENAIRE QUE J'ENTREPRENDS DE DESSINER ...

PLUS LOIN, SUR UN AUTRE BANC, UN TYPE MUNI D'UN MIROIR, RASE LES RARES POILS DE SA BARBE AVEC UN COUPE-ONGLE.

SUR L'ÎLE DE HONG KONG, LE CONCEPT DE YIN ET YANG EST UNE RÉALITÉ GÉOGRAPHIQUEMENT PALPABLE...

D'UN CÔTÉ C'EST L'URBANISME À OUTRANCE AVEC SES GRATTE-CIEL ET DE L'AUTRE, À DIX MINUTES D'AUTOBUS, C'EST LA PLAGE AVEC SES GRAINS DE SABLE ENTRE LES ORTEILS.

MMM... LE BRUIT DES VAGUES

SI SEULEMENT J'AVAIS PAS À L'ESPRIT QUE JE DOIS RENTRER À SHENZHEN DANS MOINS D'UNE HEURE, J'ARRIVERAIS PROBABLEMENT À ME DÉTENDRE...

UN JEUNE HOMME D'AFFAIRES M'EMPRUNTE UN STYLO POUR REMPLIR SES PAPIERS DE VISA.

AU MOMENT DE ME LE RENDRE, LE STYLO GLISSE DE SA MAIN ET TOMBE. IL LE RAMASSE ET ME LE TEND...

OUPS! SORRY!

THANK YOU!

SIX DOIGTS!... IL AVAIT SIX DOIGTS!

ON AURAIT DIT UN DEUXIÈME POUCE, MAIS EN LÉGÈREMENT PLUS PETIT, QUI SE RAJOUTAIT SUR LE PREMIER.

CURIEUSEMENT, PAR CHEZ NOUS ON DIT DE QUELQU'UN MALADROIT QU'IL A LES MAINS PLEINES DE POUCES.

CE MATIN-LÀ, JE PORTAIS MON T-SHIRT DU VIET-NAM...

VIET-NAM FLAG?

YES, "COMMUNIST STAR.

POUR UNE FOIS QU'ON ME POSE UNE QUESTION EN DEHORS DU CONTEXTE DE L'ANIMATION, J'EN PROFITE.

IN FRANCE WE HAVE COMMUNISTS IN THE GOVERNMENT.

ÉVIDEMMENT ÇA LE FAIT RIGOLER ...

LE RIRE, EN CHINE, PEUT MASQUER UNE VARIÉTÉ D'ÉMOTIONS TRÈS DIFFICILE À INTERPRÉTER POUR UN ÉTRANGER.

I'M AFRAID OF COMMUNISTS

CE QUI CONSTITUA LE SEUL TÉMOIGNAGE POLITIQUE QUE J'AI PU ENTENDRE DURANT MON SÉJOUR...

IL FAUT DIRE QUE JE N'AI JAMAIS INSISTÉ DANS CE SENS, COMPTE TENU DE LEUR SITUATION, TOUTE MÉFIANCE ME SEMBLE PARFAITEMENT JUSTIFIÉE.

À LA VITESSE OÙ ON VA, J'AI COMME L'IMPRESSION QUE LA SÉRIE NE SERA JAMAIS TERMINÉE POUR LA FIN DE MON SÉJOUR…

J'ESPÈRE QU'ILS NE ME DEMAN-DERONT PAS DE RESTER PLUS LONGTEMPS…

JE CROISE Mr LIN AU DISTRIBUTEUR D'EAU CHAUDE ET JE LUI REMETS UN LIVRE SUR REMBRANDT QUE J'AI RAMENÉ DE MON WEEK-END À HONG-KONG…

IL N'A L'AIR NI SURPRIS NI ENCHANTÉ, IL ME REMERCIE :

THANK YOU !

…ET IL RETOURNE TRAVAILLER.

LE LENDEMAIN, IL RÉAPPARAÎT ET M'OFFRE UN LIVRE DE CROQUIS PAR UN ARTISTE CHINOIS QUE J'AVAIS BEAU-COUP APPRÉCIÉ CHEZ LUI.

CHANG DAN CHIN

J'OFFRE AUSSI UN ROMAN EN ANGLAIS À MA TRADUCTRICE…

THANK YOU !

…ET JE N'EN ENTENDS PLUS JAMAIS PARLER.

JE CONSACRE LA MAJEURE PARTIE DE MES SOIRÉES À LA LECTURE, LA MUSCU ET À EXPLORER LES RAYONS DES SUPERMARCHÉS...

C'EST UN PHÉNOMÈNE TRÈS RÉCENT ICI ET TRÈS LUXUEUX. JE FAIS MES COURSES EN COMPAGNIE DE LA BOURGEOISIE NAISSANTE.

IL Y A MALHEUREUSEMENT TROP DE PRODUITS DE L'OUEST.

JE TESTE AU HASARD.

MMM... CH'EST BON CHA!

DEMAIN J'EN RACHÈTE

À PART REGARDER LES PUBLICITÉS SUR LES CHAÎNES LOCALES, J'AI RIEN TROUVÉ DE PLUS EXOTIQUE À FAIRE.

PENDANT UN MOMENT, J'AI FAIT LE TOUR DES LIBRAIRIES À LA RECHERCHE DE TRÉSORS GRAPHIQUES... AINSI J'AI PU DÉNICHER QUELQUES PERLES QUI OCCUPENT UNE PLACE DE CHOIX DANS MA BIBLIOTHÈQUE.

OH BINGO !

"HABITATIONS DANS LA VILLE"         WANG CHI YUN

"SI JE DEVAIS ÊTRE CHEF DE DISTRICT" HU BUO ZHONG

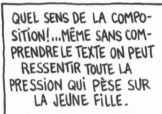

QUEL SENS DE LA COMPO-SITION!...MÊME SANS COM-PRENDRE LE TEXTE ON PEUT RESSENTIR TOUTE LA PRESSION QUI PÈSE SUR LA JEUNE FILLE.

MMM, TRÈS JOLI MOUVEMENT... AH SI SEULEMENT DANS L'ANIM. ON POUVAIT TRAVAILLER AVEC DES GRAPHISMES COMME ÇA...

"LE MAÎTRE MOINE HAI DEN"

UN AUTRE LIVRE AVEC DES DESSINS D'ENFANTS.

CETTE FAÇON D'UTILISER LA LIGNE CLAIRE M'AVAIT BEAUCOUP INSPIRÉ LORS DE MON PREMIER SÉJOUR... J'AVAIS D'AILLEURS DESSINÉ LES PRE-MIÈRES PAGES D'UN PROJET D'ALBUM.

MAIS BON, CE PROJET N'A PAS RENCONTRÉ LA FAVEUR DES ÉDITEURS ALORS J'AI LAISSÉ TOMBER.

CHĒUN M'INVITE À VENIR PASSER LE SAMEDI AVEC LUI ET SA COPINE QUI ÉTUDIE L'ANGLAIS À L'UNIVERSITÉ DE PÉKIN.

J'AVAIS PRÉVU DE RETOURNER À CANTON MAIS JE PRÉFÈRE RESTER ICI ET RENCONTRER DES GENS... HISTOIRE DE COMMUNIQUER UN PEU.

FORCE EST DE CONSTATER QU'APRÈS TROIS MOIS DE MUSCU, MON VENTRE NE S'EST PAS APLATI...

IL EST PLUS DUR, C'EST TOUT !

C'EST À CROIRE QUE, D'UNE FAÇON OU D'UNE AUTRE, CERTAINS VENTRES SONT FAITS POUR DURER.

ÇA ME RAPPELLE CE TYPE, UN IRLANDAIS...

AVEC UN VENTRE INCROYA-BLE !

BERLIN 90

IL ÉTAIT PAS PEU FIER D'ARRIVER, SANS L'AIDE DES MAINS, À FAIRE TENIR EN ÉQUILIBRE UNE PINTE DE "GUINNESS" SUR SON VENTRE.

LA DISCIPLINE ALLE- MANDE...
J'AI JAMAIS VU UN STUDIO AUSSI BORDÉ- LIQUE. ON A CHANGÉ TROIS FOIS DE RÉA- LISATEUR...

SUR UN TABLEAU, ON COCHAIT LE NOMBRE DE BIÈRES QU'ON PRENAIT DANS LA RÉSERVE.

À LA FIN DU MOIS LE COMPTA- BLE DÉDUISAIT LE TOTAL DE NOTRE SALAIRE...

UN JOUR, UN ANIMATEUR QUI AVAIT DES PROBLÈMES AVEC LA DIRECTION A CON- VIÉ TOUT LE STUDIO DANS LE STATIONNEMENT.

IL A FAIT UN GRAND FEU AVEC TOUS LES PLANS QU'IL AVAIT ANIMÉS...

ENSUITE IL EST PARTI AU VOLANT DE SA CARAVANE DANS LAQUELLE IL HABITAIT

JE CROISE TOM EN SORTANT DE LA GYM ET NOUS ALLONS MANGER

TOM, COMME TOUS LES ÉTRANGERS À SHENZHEN RÊVE DE PERCER L'IMMENSE MARCHÉ CHINOIS AVEC SON BUSINESS. LUI, C'EST L'INTERNET, LE COMMERCE ÉLECTRONIQUE ET TOUT ÇA... S'IL Y PARVIENT, C'EST LE GROS LOT.

PENDANT QU'IL CHERCHE LA PÉPITE DANS CE NOUVEAU KLONDYKE, SA FEMME ET SES ENFANTS EN CALIFORNIE LUI ENVOIENT RÉGULIÈREMENT DES E-MAILS.

TOM PARLE CHINOIS, C'EST TRÈS PRATIQUE...

ALORS QUAND TU PARLES PAS CHINOIS TU LES COMPRENDS PAS... ET QUAND TU LE PARLES, TU LES COMPRENDS TOUJOURS PAS PLUS...

MMM

À UN MOMENT, IL M'EXPLIQUE POURQUOI LES BIG MAC DANS LES PETITES VILLES SONT MOINS BONS QUE CEUX DANS LES GRANDES VILLES

CHICAGO PAR EXEMPLE...

?

MAIS J'AI PAS BIEN RETENU LA DÉMONSTRATION

TIENS, QUELQU'UN A ENLEVÉ LES PAPIERS QUI POURRISSAIENT SOUS LA VITRE DU BUREAU...

DOMMAGE ...

AUJOURD'HUI, IL Y A SEULEMENT DEUX PLANS DE BONS, TOUT LE RESTE EST MAUVAIS...

Y'A DES JOURS COMME ÇA...

PAR CONTRE, UNE VIGNETTE DU DERNIER STORY-BOARD ME REMONTE FRANCHEMENT LE MORAL.

HA HA HA !

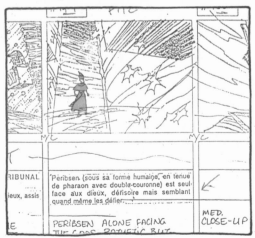

RIBUNAL

ieux, assis

"Péribsen (sous sa forme humaine, en tenue de pharaon avec double-couronne) est seul face aux dieux, dérisoire mais semblant quand même les défier."

PERIBSEN ALONE FACING THE GODS PATHETIC BUT

MED. CLOSE-UP

"DÉRISOIRE MAIS SEMBLANT QUAND MÊME LES DÉFIER" HA HA HA ! C'EST PAPYRUS QUI REN-CONTRE BERGMAN ! ... TOUT ÇA EN 50 IMA-GES (2 SEC.) ET DANS UN CADRE 12. HA HA !

JE REÇOIS UN COUP DE FIL DE PARIS. IL RESTE ENCORE DEUX ÉPISODES À SUPERVISER MAIS ILS VONT SE DÉBROUILLER PAR FAX ET TÉLÉPHONE; JE N'AI PAS À RALLONGER MON SÉJOUR!

AH... D'ACCORD

HÉ BIEN!

ÇA PROMET D'ÊTRE BEAU POUR LES DEUX DERNIERS DE LA SÉRIE.

CHĒUN HABITE DANS LE CENTRE-VILLE.

C'EST UN APPART. QUE LUI PRÊTE SA COMPAGNIE

CHEZ LUI, AUCUNE DÉCORATION; TOUS LES MURS SONT BLANCS. DANS LE SALON, UN ÉNORME SOFA EN CUIR NOIR EST SITUÉ JUSTE EN FACE D'UNE TÉLÉ-MAGNÉTOSCOPE AVEC HAUT-PARLEURS.

SA COPINE M'OFFRE DES NECTARINES QUE NOUS MANGEONS SILENCIEUSEMENT EN REGARDANT UN DOCUMENTAIRE SUR LES OURAGANS.

ET DEHORS, LE SOLEIL QUI BRILLE.

ENSUITE CHĔUN ME PROPOSE DE REGARDER UN DVD SUR LES MEILLEURS MOMENTS DE LA CARRIÈRE DE MAGIC JOHNSON.

C'EST-À-DIRE QUE...

MOI, LE SPORT À LA TÉLÉ ...

DO YOU WANT TO PLAY ?

BASKETBALL ?

YES

WHERE ?

OUTSIDE.

YES SURE.

ON N'A PAS PU JOUER TRÈS LONGTEMPS, LE SOLEIL SE COUCHAIT

DES GENS SE SONT JOINTS À NOUS ET ON A FAIT UN PETIT MATCH. POUR LA PREMIÈRE FOIS DE MA VIE, J'ÉTAIS LE PLUS GRAND D'UN GROUPE.

J'AI MARQUÉ UN TAS DE POINTS!

ENSUITE, RETOUR DEVANT LA TÉLÉ AVEC SA COPINE QUI NE DIT PAS UN MOT.

HUNGRY?

J'AI EU FAIM TRÈS TÔT...

POUR ME FAIRE PLAISIR, CHËUN AVAIT PRÉVU DE M'EMMENER MANGER DE LA WESTERN-FOOD: BIFTECK, HAMBURGER, FRITES, ETC...

HEUREUSEMENT, J'AI PU RÉORIENTER LE TIR EN MANIFESTANT L'ENVIE DE MANGER DU POISSON.

JE SUIS CONVIÉ À DONNER L'EXTRÊME-ONCTION.

HEU... VOYONS VOIR ÇA... CELUI LÀ, LE GROS!

ET CELUI LÀ AUSSI, DANS LE FOND QUI ESSAIE DE SE CACHER!

CHËUN COMMANDE AUSSI DU SERPENT.

LE SERVEUR REVIENT AVEC DEUX VERRES. DANS LE PREMIER, IL Y A UN PEU D'ALCOOL MÉLANGÉ AVEC LE SANG DU SERPENT.

D'ASPECT C'EST PAS TRÈS RA- GOÛTANT, MAIS C'EST BUVABLE.

"IT'S VERY APHRODISIAC" M'ASSURE CHÙN.

IT'S MAKING ME A NICE LEG !

?

ÉVIDEMMENT, LES EXPRESSIONS TRADUITES, ÇA NE MARCHE JAMAIS.

DANS LE DEUXIÈME VERRE FLOTTE DANS UN PEU D'ALCOOL, UN ORGANE (LA VESSIE, JE CROIS) DE NOTRE SERPENT.

AVANT DE BOIRE, CHÙN L'ÉCRASE AVEC UNE CUILLÈRE. UN JUS VERDÂTRE S'EN ÉCHAPPE DONNANT AU CONTENU UNE JOLIE COULEUR D'ABSINTHE.

C'EST TRÈS BON POUR LA CIRCULATION DU SANG M'INFORME-T-ON.

PAR CONTRE AU GOÛT, C'EST DÉGUEULASSE ! C'EST UN DES RARES ALIMENTS QUE JE N'AI PAS APPRÉCIÉ EN CHINE...

LA BOUFFE RESTANT LE GRAND PLAISIR DE MON SÉJOUR.

APRÈS LE REPAS, ILS VIENNENT ME RECONDUIRE À L'HÔTEL...

SA COPINE N'A PAS PRONONCÉ PLUS DE DIX MOTS DANS LA SOIRÉE.

TIENS! J'AI OUVERT MOI MÊME LA PORTE !

C'EST BIEN LA PREMIÈRE FOIS QUE JE TOUCHE À CETTE POIGNÉE DEPUIS TROIS MOIS !

ET VIEUX RÉFLEXE COLONISATEUR, J'AI PENSÉ : " MAIS OÙ IL EST CE PORTIER QUI NE FAIT PAS SON TRAVAIL CORRECTEMENT ? "

PLUS QU'UNE SEMAINE, ET C'EST FINI... IL EST TEMPS DE RENTRER, JE COMMENCE À PRENDRE UN MAUVAIS PLI.

LE SOIR, EN REGARDANT UN FILM FRAÎCHEMENT PIRATÉ QUE L'HÔTEL PASSE EN CIRCUIT FERMÉ, JE MANGE UN SAC ENTIER DE PETITES GRAINES AU GOÛT ACIDULÉ.

C'EST LE DERNIER JAMES BOND. LE FILM A ÉTÉ COPIÉ DANS UN CINÉMA AVEC UN CAMÉSCOPE. ON PEUT VOIR LA TÊTE DES GENS AU PREMIER RANG ET LES ENTENDRE RIGOLER.

A UN MOMENT, LA CAMÉRA BASCULE DE CÔTÉ.

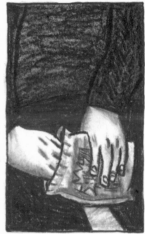

LE LENDEMAIN, J'AI LA LÈVRE ENFLÉE ET LA LANGUE QUI PICOTE ÉTRANGEMENT.

GARE DE TRAIN DE SHENZHEN.

POURTANT, JE M'ÉTAIS BIEN PRÉPARÉ.

J'AVAIS GARDÉ MON ANCIEN BILLET, ON M'AVAIT INFORMÉ DES HORAIRES, ET LA VEILLE, J'ÉTAIS VENU REPÉRER LE GUICHET QUI S'OCCUPE DU TRAIN POUR CANTON.

GUANGZHOU

MAIS CE MATIN, IL EST FERMÉ.

EH MERDE

J'ESSAIE D'OBTENIR DES INFOR- MATIONS AUPRÈS D'UN OFFICIER.

GUANGZHOU?

HELLO

IL M'INDIQUE UNE DIRECTION PLUS QUE VAGUE À SUIVRE...

PAR LÀ?

TOUT DROIT?

À GAUCHE?

OÙ ÇA?

JE TENTE ENSUITE UN GUICHET AU HASARD...

SUPER!

MAIS OÙ ÇA?

LÀ-BAS?

Y'A RIEN LÀ-BAS!

HELLO!

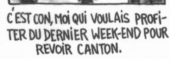

C'EST CON, MOI QUI VOULAIS PROFI- TER DU DERNIER WEEK-END POUR REVOIR CANTON.

TIENS, TIENS, EN VOILÀ UN QUI À L'AIR DE SAVOIR S'Y PRENDRE

GUANGZHOU

VICTOIRE!

ARRIVÉ À CANTON, JE DESCENDS À L'AUBERGE DE JEUNESSE.

ILS OFFRENT DES CHAMBRES INDIVIDUELLES POUR PAS CHER.

SUR LA PORTE, ON TROUVE LES TRADITIONNELLES RÈGLES D'USAGE : ON EST PASSIBLE D'UNE AMENDE DE 40 FRS SI ON ALLUME DES FEUX D'ARTIFICE DANS LA CHAMBRE. IL EST ÉGALEMENT INTERDIT D'AMENER DES ARMES RADIOACTIVES DANS L'AUBERGE.

MMM 40 FRANCS SEULEMENT! ... C'EST QUASIMENT TENTANT.

L'AUBERGE EST SITUÉE DANS L'ANCIENNE CONCESSION EUROPÉENNE CE QUARTIER EN RETRAIT DU TUMULTE URBAIN EST IDÉAL POUR SE PROMENER NONCHALAMMENT.

RAPIDEMENT, JE ME FAIS ACCOSTER PAR UN JEUNE CHINOIS.

IL PROPOSE DE M'ACCOMPAGNER POUR FAIRE CONNAISSANCE... ENFIN, JE SAIS PAS TROP, IL PARLE ANGLAIS COMME UNE VACHE ESPAGNOLE!

POUR ARRIVER À EXTRAIRE DE CETTE SOUPE DE SONS QUELQUES MOTS FAMILIERS, JE DOIS LUI FAIRE RÉPÉTER AU MOINS TROIS FOIS CHAQUE PHRASE ET DEMEURER INTENSÉMENT CONCENTRÉ.

ÇA DEVIENT TRÈS VITE FATIGUANT.

J'ESPÈRE M'EN DÉBARRASSER EN M'ARRÊTANT POUR MANGER.

LA NOURRITURE EST EXCELLENTE.

APRÈS UN MOMENT, MON ATTENTION FAIBLIT ET J'OBSERVE LES DEUX OUVRIERS SITUÉS DERRIÈRE MON PRO-LIXE COMPAGNON, OCCUPÉS À DÉBOU-CHER LES ÉGOÛTS AVEC UN BAMBOU.

FINALEMENT JE RÉALISE QU'IL NE S'AGIT PAS DU TOUT D'OUVRIERS, MAIS PLUTÔT DES DEUX CUISTOTS DU RESTAURANT.

J'ARRIVE À SAISIR, APRÈS BEAUCOUP D'EFFORTS, QU'IL EST ÉTUDIANT EN ANGLAIS ET QUE LE WEEK-END, IL CHERCHE À S'ENTRAÎNER.

POURTANT IL N'ÉCOUTE PAS BEAUCOUP. JE LUI RÉPONDS EN FRANÇAIS DEPUIS DÉJÀ UN MOMENT SANS NOTER GRANDE DIFFÉRENCE DANS SON COMPORTEMENT.

CERTES.

IL SE PROPOSE COMME GUIDE POUR ME FAIRE VISITER LA VILLE.

JE DÉCLINE SON OFFRE D'ABORD POLIMENT...

NON, MERCI, SANS FAÇONS

MAIS COMME IL NE VEUT RIEN COMPRENDRE, JE FINIS PAR ÊTRE LE PLUS EXPLICITE POSSIBLE...

FUCK OFF!

IL ME QUITTE À LA VUE D'UN AUTRE TOURISTE PASSANT PAR LÀ.

JE DÉCOUVRE LA CATHÉDRALE DU SACRÉ-COEUR PERDUE AU MILIEU D'UN LABYRINTHE DE RUELLES...

DANS LES MARCHÉS ON TROUVE À PEU PRÈS TOUT CE QUI BOUGE ... DU CHAT PAR EXEMPLE

HA HA HA

J'APERÇOIS UNE AUTRUCHE EN PASSANT DEVANT LES CUISINES D'UN GRAND RESTAURANT.

ELLES SONT FRAÎCHES VOS AUTRUCHES ?

JE CHERCHE ENSUITE (MAIS SANS SUCCÈS) DERRIÈRE LE MAGASIN DE L'AMITIÉ, UN CIMETIÈRE CHRÉTIEN OÙ SERAIENT ENTERRÉES DES JEUNES FILLES TUÉES PAR DES NONNES CANADIENNES!

PROPAGANDE? JE CONÇOIS DIFFICILEMENT UN ÊTRE PLUS INOFFENSIF QU'UNE NONNE CANADIENNE

DANS LES TOILETTES PUBLIQUES L'AMBIANCE EST AU RECUEILLEMENT

EN GUISE D'AUTEL, UN PETIT LAVABO POUR SE PURIFIER LES MAINS.

MES BIEN CHERS FRÈRES ...

VIDEZ VOUS DE VOS PÉCHÉS ... VOUS VOUS SENTIREZ PLUS LÉGERS

JE TERMINE MA JOURNÉE DANS UN BAR, À BOIRE DE LA TSING TAO EN COMPAGNIE D'UN TOURISTE.

C'EST UN CANADIEN ANGLOPHONE QUI PARLE CORRECTEMENT LE FRANÇAIS (UNE RARETÉ) ET QUI INSISTE POUR L'UTILISER AVEC MOI.

LA CONVERSATION DÉRIVE INÉVITABLEMENT SUR LE SEMPITERNEL ET UNIQUE DÉBAT DE SOCIÉTÉ DU PAYS: L'IDENTITÉ CULTURELLE

JE LUI PARLE DES NONNES TUEUSES POUR FAIRE DIVERSION MAIS IL A LES IDÉES FIXES.

IL M'APPARAÎT COMME ÉTANT QUELQU'UN D'ASSEZ NUANCÉ ALORS JE LUI FAIS PART DE MA VISION DES CHOSES.

LE PROBLÈME AVEC LE CANADA C'EST QU'IL LUI MANQUE UN POINT CARDINAL.

POUR LE SUD ÇA VA, TOUT LE MONDE EST AGGLUTINÉ LE LONG DE LA FRONTIÈRE. L'EST ET L'OUEST PAS DE PROBLÈME ... MAIS POUR LE NORD, PERSONNE NE SAIT VRAIMENT OÙ ÇA S'ARRÊTE !

LA BAIE D'HUDSON ? LES TERRITOIRES DU NORD-OUEST ? LE CERCLE POLAIRE ARCTIQUE ? L'ÎLE DE BAFFIN ? APRÈS C'EST DE LA GLACE PARTOUT, TU SAIS MÊME PAS S'IL Y A DE LA TERRE EN DESSOUS !

COMMENT VEUX-TU TROUVER TES REPÈRES DANS UN PAYS OÙ Y'A PAS DE NORD ?

AILLEURS, T'AS PAS CE PROBLÈME ... EN FRANCE T'AS MÊME. UN DÉPARTEMENT QUI S'APPELLE "LE NORD."

D'APRÈS MOI, AU CANADA, IL FAUDRAIT QU'ON SIMPLIFIE LE TRACÉ DE LA FRON-TIÈRE NORD POUR QUE PSYCHOLOGIQUE-MENT ON PUISSE SE RETROUVER.

JE RENTRE,
PASSABLEMENT ÉMÉCHÉ
ET JE M'ARRÊTE
LONGUEMENT POUR
ADMIRER LES BANIANS
BORDANT LA RUE
QUI S'ESTOMPENT AVEC
LA DISTANCE
DANS LES CHAUDES
BRUMES DU SOIR.

SI SEULEMENT LE STUDIO AVAIT ÉTÉ SITUÉ À CANTON, MON SÉJOUR AURAIT ÉTÉ COMPLÈTE-MENT DIFFÉRENT. C'EST UNE VILLE, JE CROIS À LAQUELLE JE ME SERAIS ATTACHÉ

DERNIÈRE SEMAINE

HELLO

CE MIDI, LE PATRON M'INVITE À MANGER. IL DOIT S'ABSENTER POUR LA SEMAINE ET TIENT À ME REMERCIER POUR MON TRAVAIL.

C'EST UN HOMME ASSEZ GRAND, PLUTÔT ÉLÉGANT. IL S'ENTEND BIEN AVEC SES EMPLOYÉS, MÊME SI À LES ENTENDRE, IL DIRIGE MAL LE STUDIO.

PAR CONTRE, IL EST SÛREMENT TRÈS DRÔLE. ON L'ÉCOUTE AVEC ATTENTION ET AUTOUR DE LUI, LES ÉCLATS DE RIRE FUSENT RÉGULIÈREMENT.

ÉVIDEMMENT, MOI, JE NE COMPRENDS STRICTEMENT RIEN... JE NE PEUX QUE SAISIR LA FORME: RYTHME, INTONATION, SILENCE, ETC...

ET CURIEUSEMENT, JE NE SUIS PAS LOIN DE PARTICIPER À L'EUPHORIE GÉNÉRALE.

 C'EST UN PLAISIR DE L'ÉCOUTER RACONTER UNE HISTOIRE : LA TENSION QUI MONTE PROGRESSIVEMENT, UN SILENCE AU BON MOMENT QUI SUSPEND L'AUDITEUR ET LA CHUTE QUI TOMBE D'UN SEUL TRAIT ...

 MALGRÉ LES GRANDES DIFFÉRENCES QUI SÉPARENT L'EST ET L'OUEST JE CROIS QU'AU NIVEAU DE L'ORAL NOUS PARTAGEONS LES MÊMES TECHNIQUES NARRATIVES.

 ÇA NOUS FAIT TOUJOURS ÇA EN COMMUN

 POUR EN APPRENDRE UN PEU PLUS, JE CONVAINCS UN ANIMATEUR DE ME RACONTER UNE BLAGUE ...

UN RICHE MANDARIN QUI DONNAIT UNE SOIRÉE, SE TARGUAIT DE POUVOIR OFFRIR À SES INVITÉS TOUT CE QU' ILS DÉSIRAIENT SAUF LA LUNE.

 ENTRE ALORS UN DOMESTIQUE QUI LUI DIT NE PLUS AVOIR DE BOIS POUR FAIRE DU FEU.

 LE MANDARIN DE CORRIGER : "TOUT SAUF LA LUNE ET DU BOIS POUR LE FEU ! "

 HA HA HA HA HA HA HA HA

LES JOURNÉES SE SUCCÈDENT AVEC UNE TELLE RESSEMBLANCE QU'IL M'EST VENU L'ENVIE DE TENTER UNE EXPÉRIENCE :

ESSAYER DE POUSSER JUSQU'À L'EXTRÊME CETTE RESSEMBLANCE, DE FAÇON À VIVRE DEUX JOURNÉES PARFAITEMENT IDENTIQUES.

LE BUT ÉTANT DE VÉRIFIER SI DANS UN MÊME CONTEXTE SURGIRONT LES MÊMES PENSÉES.

C'EST UNE EXPÉRIENCE BIEN CONNUE DES DESSINATEURS QUI ENCRENT LEURS CRAYONNÉS ...

EN REPASSANT SUR LES MÊMES TRAITS, LES MÊMES PENSÉES RESURGISSENT.

EH BIEN NON, ÇA NE MARCHE PAS...

LES PENSÉES NE SE LAISSENT PAS AUSSI FACILEMENT ALIÉNER.

ON S'EN DOUTAIT UN PEU ...

EN TOUT CAS, ÇA ME FAIT TOUJOURS UNE JOURNÉE DE MOINS AVANT LE DÉPART.

LE MATIN, JE PASSE DANS UNE RUE OÙ DES GENS AFFICHANT LEURS DIPLÔMES, ATTENDENT QU'ON LEUR PROPOSE DU TRAVAIL.

LE SOIR, ILS SONT SOUVENT REMPLACÉS PAR UN COIFFEUR QUI S'OCCUPE EN SÉRIE DES OUVRIERS DU CHANTIER AVOISINANT.

IL Y A UNE PANNE DE COURANT À LA GYM, LES CLIENTS REPARTENT DÉÇUS...

J'INSISTE POUR MONTER. IL FAIT ENCORE JOUR ET CES APPAREILS, APRÈS TOUT, FONCTIONNENT AVEC L'ÉNERGIE DE NOS MUSCLES...

DANS LE VESTIAIRE, JE CROISE UN VIEIL HOMME AVEC UNE ÉTONNANTE MORPHOLOGIE.

COMME UNE BAGUE QUI TROP LONGTEMPS PORTÉE DÉFORME LE DOIGT, SA CEINTURE ANNÉE APRÈS ANNÉE, SEMBLAIT AVOIR CREUSÉ ANORMALEMENT SA TAILLE.

C'EST À SE DEMANDER SI NOUS NE NOUS AJUSTONS PAS PLUS À NOS VÊTEMENTS QU'EUX À NOUS.

JE ME RETROUVE SEUL, ET CE N'EST PAS DÉSAGRÉABLE. D'AUTANT QUE JE N'AI PAS À SUPPORTER LES HURLEMENTS DE WITHNEY HOUSTON QU'ON NOUS PASSE HABITUELLEMENT EN BOUCLE...

LE SOIR TOMBE DOUCEMENT, ET LA PRÉPOSÉE AUX BOISSONS ÉNERGÉTIQUES SE CHARGE DE DISPOSER UN PEU PARTOUT DANS LE LOCAL, UNE GRANDE QUANTITÉ DE BOUGIES.

ET POUR RAJOUTER À LA MAGIE DE CE MOMENT INOUBLIABLE, JE L'ENTENDS CHANTER DEPUIS UNE PIÈCE CONTIGUË, UNE DOUCE MÉLODIE, SORTIE, ME SEMBLE-T-IL D'UN CONTE POUR ENFANTS.

SI UN JOUR, JE METS TOUTES CES ANECDOTES EN IMAGES, ÇA DONNERA FORCÉMENT L'IMPRESSION D'AVOIR ÉTÉ UN SÉJOUR FORMIDABLE...

J'IMAGINE QUE MÊME L'ENNUI UNE FOIS SORTI DE SON CONTEXTE, SE SUBLIMERA ET PRENDRA FINALEMENT UNE FORME DIVERTISSANTE...

UN PEU COMME FAIT LA MÉMOIRE.

LA DERNIÈRE JOURNÉE EST CALME, IL N'Y A PAS GRAND CHOSE À FAIRE.

ET COMME À CHAQUE VEN-DREDI SOIR, MA TRADUCTRICE VIENT ME DEMANDER :

YOU COME TO WORK TOMORROW?

JE LUI EXPLIQUE QUE DEMAIN JE VAIS À HONG KONG POUR PRENDRE L'AVION.

BACK TO CANADA!

NO, I LIVE IN FRANCE NOW

OH! YOU LIVE IN FRANCE!

I LOVE FRANCE!

YOU KNOW I SPEAK "UN PEU FRANÇAIS"

UNE DEMI-HEURE AVANT DE SE QUITTER, ON A FAIT CONNAISSANCE.

MAIS EN PARTANT, ELLE ME LAISSE UNE PILE DE PLANS À CORRIGER QUI M'ARRIVE À LA TAILLE.

JE TRAVAILLE TOUTE LA SOIRÉE

QUAND JE TERMINE, LE STUDIO EST VIDE.

HÉ!

HEUREUSEMENT LE CONCIERGE QUI HABITE SUR LE PALIER M'ENTEND, ET VIENT M'OUVRIR.

AU 3ᵉ ÉTAGE, LE CUISTOT DU PETIT RESTAURANT ENTRE EN ME SOURIANT...

IL ME FAIT LE SIGNE DU PLAT AVEC L'OEUF...

HÉ BIEN
VOILÀ !
...

TROIS MOIS DE
BONS ET LOYAUX
SERVICES.

DELISLE.

金朝阳健美俱乐部

月 卡

NO: 18858

*Vingt-Troisième Volume de la Collection Ciboulette,*
SHENZHEN, *de Guy Delisle,*
*a été achevé de réimprimer en janvier 2009*
*sur les presses de l'imprimerie Grafiche Milani, Italie.*
*Huitième édition. Dépôt légal deuxième trimestre 2000.*
*ISBN 978-2-84414-035-7.*
© L'Association, *16 rue de la Pierre-Levée,*
*75011 Paris. Tél. 01 43 55 85 87,*
*Fax 01 43 55 86 21.*